小説
弱虫ペダル
よわむし
JN244803
14
原作
渡辺航
ノベライズ
輔老心
岩崎書店

弱虫ペダル⑭ 目次

登場人物

今泉俊輔

自転車競技に命をかける、毎日ストイックに走り続ける高校一年生。中学時代は県内でも有名なレーサーだった。坂道の走りに関心を持っている。

小野田坂道

ママチャリで往復九十キロの秋葉原への道のりを毎週欠かさず通う高校一年生。自転車に自分の可能性があるなら、と千葉県一強い自転車競技部に入部する。

鳴子章吉

自転車と友だちを大事にする関西出身のレーサー。浪速のスピードマンの異名を持つ高校一年生。坂道のよきアドバイザーでもある。

総北高校自転車競技部 三年生

主将 金城真護

田所 迅

巻島裕介

箱根学園自転車部

新開隼人

主将 福富寿一

真波山岳

泉田塔一郎

東堂尽八

荒北靖友

京都伏見高等学校

御堂筋 翔

石垣光太郎

前回までのあらすじ

全国の高校自転車部が栄冠をめざす真夏の「インターハイ」は最終日三日目。レースは、いよいよ勝者を決める「山の決戦」に突入した。山中湖畔の平坦道から、富士山五合目にあるゴールをめざす。ないてもわらっても最後の上り坂ゾーン。坂をいちばん最初に登りきった選手とチームが優勝なのだ。現在の先頭は、エース金城真護やなかまの鳴子章吉をリタイアで失い、自らエース宣言をした総北の今泉俊輔（一年）が快走中。それを追って、連覇をねらう箱根学園のエース福富寿一（三年）。少しはなれた集団は、箱根学園の東堂尽八（三年）と真波山岳（一年）の二人と、巻島裕介（三年）、われらが主人公の小野田坂道（一年）という総北の二人。この四人のクライマーが先頭に追いついてアシストしようと坂を飛ばしている。優勝候補がどんどんしぼられてきた富士山決戦は……。それればかりでなく、そのうしろを三番手チーム、京都伏見の御堂筋翔（一年）が追いすがってきた――。

はじまる前に

この巻では、インターハイの三日目のレースが、富士山五合目にあるゴールに向かう上り坂から始まります。本作での自転車の高校日本一を決めるインターハイの流れは、

・三日間かけて行われる。
・毎日、朝にスタートして、夕方前にゴールする。
・一日目は、江ノ島から百二十台がいっせいにスタート。
・次の日からは、前日のタイム差の順に、秒数をあけてスタート。
・とちゅうでこけて、ケガをして走れなくなったらリタイアになる。
・三日目の最後のゴールでトップだった学校が総合優勝。
・ゴールをねらうのは、各チームの最強選手「エース」。

これらを頭のかたすみにおいておけば、インターハイがより楽しめるよ。

本書は、秋田書店刊の『弱虫ペダル』をもとに小説化したものです。文章化するにあたり、台詞など一部改めています。

第一章

激闘あざみライン

うしろからもう一台来た

東富士自動車道の高架をくぐると、真正面に富士山がそびえていた。

山に向かって、長い滑走路のような直線がグーンとのびている。そのかなり先に何台かの自転車が走っている。そのかげが小さく見えた。

「ププ」

そのかげを見つけると、そっとわらい、ペダルをふむ足にぐっと力を入れた。

おったわ。アレとちゃうか。

標的を見つければ、ペースも上がるもんだ。「フッ、フッ、フッ」とリズムよく息をはきながら、長い坂を登っていく。

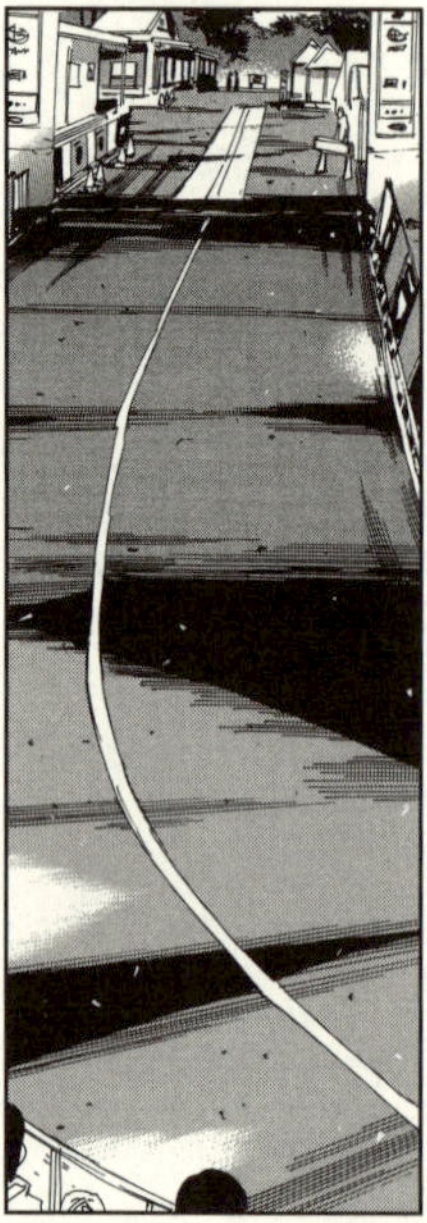

ジャ、ジャ、ジャ！

ペダルのふみこみはけいかいだ。前に見えるかげがはっきり見えてきた。
先を競う総北高校と箱根学園だ。

激闘のインターハイ。
とうとう最終日も上り坂だけを残した最後のセクションだ。

現在の順位は、今泉俊輔（総北）が大きくリード。二番手で追いかけるのが福富寿一（箱根学園）。そこから少しはなされたところを、巻島裕介（総北）と東堂尽八（箱根学園）、小野田坂道（総北）、真波山岳（箱根学園）の四台が走っている。

連覇をねらう青のジャージの箱根学園も、初優勝に手がかかりそうになっている黄色いジャージの総北高校も、最後の作戦に知恵をしぼっているところだ。

箱根学園は先頭の福富のもとへ、エースアシストとしてクライマー東堂を追いつかせたい。しかし、それを総北のクライマー巻島がじゃまをする。東堂が前に出ようとしたとたん、ゆらゆらと車輪を前に出してくる。レース経験が豊富だからできる高度なテクニックをくり出している。

それにもめげず、東堂もなかなかあきらめない。二人のこんくらべが続いていた。

やがて、とうとう巻島がさけんだ。

「ったく、どこまで続くんショ、こいつのスタミナ!!　おまえをエースのところには、行かせないショ、東堂!!」

「巻ちゃん!!　いいかげんに、どけぇ!!」

東堂もさけび返した。あせっていた。いっこくも早く福富のヘルプに行きたいのだ。

クッソ。オレをとめ続けるおまえのクライムセンスは、やはり一流だよ。

……くそ!!　オレがもし行けなくても……たのむぞ、福富!!

東堂は福富に「がんばってくれ」と念を送るしかない。

ハァ　ハァ　ハァ　ハァ　ハァ　ハァ　ハァ　ハァ

東堂の息はあらくなっていた。

一方の巻島は巻島で考えがある。

総北は、主将の金城真護をすでにリタイアでうしなっているのだ。ならば希望の星である今泉を、できるだけ速く、気持ちよく走らせたい。

ここはぜったいにオレがとめてやるショ!!
だから……たのむぞ今泉!!

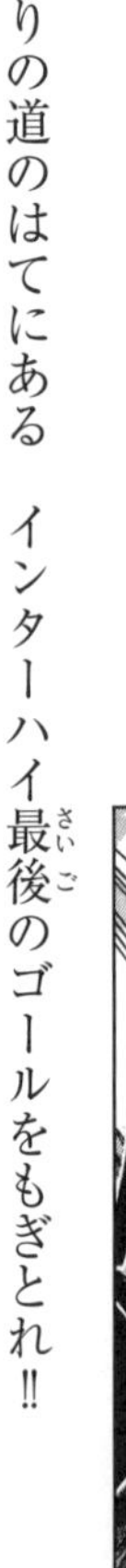

ハァ　ハァ　ハァ　ハァ　ハァ　ハァ

この登りの道のはてにある　インターハイ最後のゴールをもぎとれ!!
さきほどからのバトルで、巻島の息もかなりあらくなってきた。勝負どころだ。

「トウドォオオオオーーーー!!!」
「巻ちゃぁぁぁぁぁぁぁあああん!!!」

三年生クライマーのライバルのバトルが、いつまでも続くのかと思ったそのときだった。
東堂も巻島もおどろいた。

？

!?

二台の自転車のうしろに、もう一台のかげがヌッとあらわれたのだ。

気配を感じて、東堂と巻島はふりかえった。

ドン！

体のでかい男が、自転車を左右にふりながら登ってくる。むらさき色のジャージがひとこぎごとに接近してくるではないか。

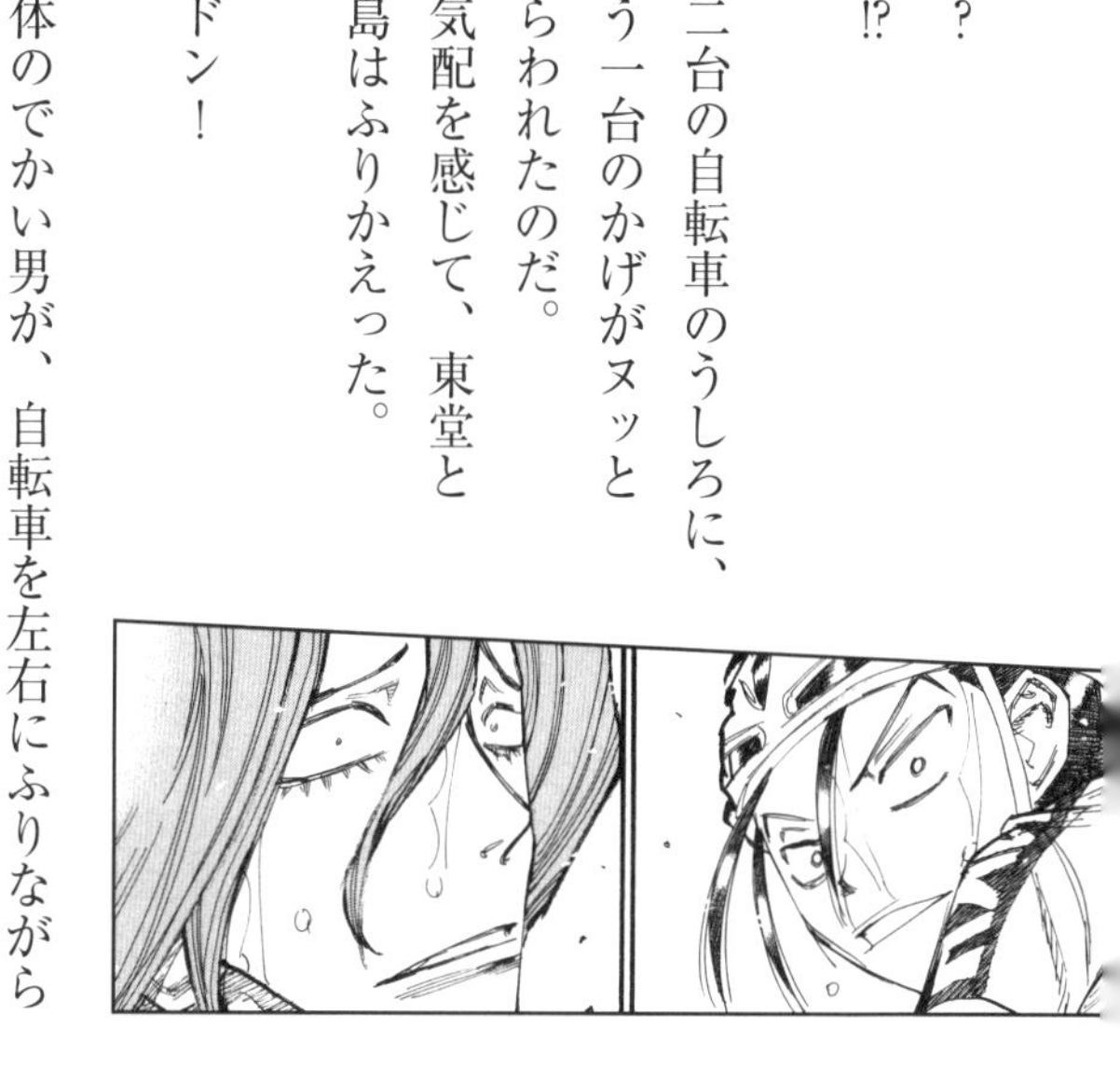

京都伏見の御堂筋だ。

巻島がわざとペースを落として、東堂の行く手をふさぐ走りかたをしていた間に、一気にうしろから追いついてきたのだろう。

御堂筋はニコッとわらい、

「見ぃつけーたァ」

とうれしそうな声を出した。

巻島と東堂は、すっかりわすれていた第三の男の登場におののいた。

「待て……!!　オイ……」

「ショ……」

東堂が、

「91番……!! おまえはとっくに後方にしずんだんじゃなかったのか!!

京都伏見、御堂筋!!」とさけんだ。

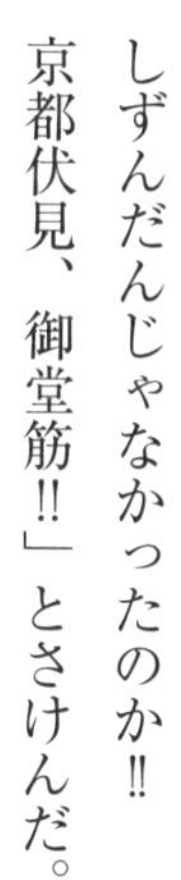

「プ……クク……プククククク」

御堂筋は口をおさえて、ぶきみにわらった。

その顔を見て、東堂は、

「あがってきたってことは……ねらう気か……ゴールを!! トップを!!

ここから!!」

と目をまるくした。

東堂の前を走っている巻島が、

「ショォ!! こいつ!! いつもどんなタイミングでくるショ!!」

とあきれた顔をした。

御堂筋は意気ようようと、
「そうとう……おつかれのようすやな……エースクライマーのお二人さん」
と言うと、東堂の自転車をなんなくかわした。
そして、つぎに巻島のとなりに、自分の自転車をならべた。
「くそォ‼」と巻島がほえた。
すると、「うおぉ‼」とたのしそうに御堂筋がこたえた。
巻島は横目で御堂筋を見た。御堂筋はあいかわらずのかわったフォームだ。
人一倍でかい身長の体を前方にのり出してこいでいる。
首の長い馬が疾走するようなフォームだ。

「よっ、と」

上半身分だけ巻島を追いぬかすと、ぐるんと首を回して顔を巻島に向けた。

「あーあー、おつかれさまです。おいつかれちゃったねェ。プププ。
つかれてなかったら、こんなことにならないのにね」

巻島はおく歯をかみしめるしかなかった。闘(たたか)う相手は東堂だけのはずだった。〝もう一台〟が来るとは想像(そうぞう)していなかったのだ。

「それにしてもばくしょうやね。総北(そうほく)はエースとして、あの弱泉(よわいずみ)くんを送りこんどるんやね。ププ、勝負をすてたとしか、思われんわ!!」

御堂筋は巻島をバカにするようにすてぜりふを言うと、カシュンとギアチェンジした。ギャンとペダルをけり飛ばすと、巻島から自転車一台分、前に出た。

「ショオ～～!!」

巻島はくやしそうな悲鳴をあげた。そこから、御堂筋がさらに差を広げていく。

これもレースのなりゆき。

東堂をおさえるために体力を使った巻島には、御堂筋を追う足の力がもうないのだ。

巻島は言った。

「オレたちゃ、その今泉にゴールをたくしてんだ。総北の全員が!! だから、おまえに行かせるわけにゃ、いかねーんだョ!! ぜったいに!!」

そして、闘う相手を東堂から御堂筋に切りかえて、最後の力をふりしぼってペダルをふんだ。そのときだった。

東堂が「追え、真波!!」とさけんだ。発進指令!

真波はピクンとしりを上げて、ペダルをふむ足に力を入れた。パンッとかろやかに飛び出すと、あっという間に東堂の前に出て、そればかりか巻島も一気に追いぬいた。
そして、グングンと御堂筋を追うではないか。

コォッ

坂下からいちじんの風がふき上がった。
風は坂を登り、まるで真波の背中をおすかのように力をあたえた。
風をうけて、つばさを広げたかのようなさっかくが起こるほどの加速だった。

クワッ
キュン
フゥワアァッ

真波はスピードをさらに出した。

そして、一気に御堂筋にならんだ。

「一息で追いついたァ!!

ハコガク6番、真波山岳。なんて登坂能力ショ!!」

と、巻島は息をのむしかなかった。

東堂はここまで足の力を温存していた真波を使う決断をしたのだ。声を飛ばした。

「エースを、福富を守れ!」

ときはなたれた真波は「はい」と小さく答え、ペダルをふむピッチをますます上げた。

御堂筋は、新たにあらわれた新顔をギョロリと見ると、

「なに、キミ?　かくし玉ぁ?」

と真横にならんできた真波(まなみ)に話しかけた。

したをペロリと回し、見たことのない虫か鳥を見るような興味(きょうみ)深そうな顔をしている。

真波は御堂筋(みどうすじ)の顔を見つめ、それからニコッとわらいかけた。

そして口を開いた。

「どっちが速いか勝負――ってことになるね」

それを聞いた御堂筋はスーッと目を細めて、真波を見つめ返した。

「ププ。その目……その目な、とてもエースを守ろういう目やないな」

総北(そうほく)の手はあるか

レースのじょうきょうはあっという間にかわってしまった。

巻島はこまった。御堂筋と真波の二人から、またたく間に三メートル、はなされた。

なんとかふんばるが、ついていくのにひっしだ。

御堂筋の登場で、〝レースが動いた〟のだ。総北はピンチだ。

「ク……!!　東堂との勝負がなきゃ――!!　マズイショ!!　上には総北は一人、今泉だけ。

このままだと、ハコガクは福富と真波……の二人になる!!　……坂道がいれば!!」

パッとふり返ったが、そこには小野田坂道のすがたはなかった。

……!!　だよな……!!
これだけのハイスピードの登りのレースに
坂道がついてけるワケないよな……。
そうだ、わすれてた、あいつは……初心者
なんだった――。
巻島は頭をかかえた。総北の作戦は……
もう……ない。

そのときだった。

「あのっ、ボクもあの、前を、追いかけたほうがいいですか‼　巻島さん‼」

「おまえ‼　……なんでそこにいるショ？」

坂道‼

うしろのほうにいると思ってたのに、いつの間に……か、巻島の真横を走っていたのだ。

「いつの間に！　クハ‼　意外性の男だぜ」

巻島には坂道の動きが、かろやかなスローモーションのように見えた。

うそだろ！

なんでそんなトコいんだよ坂道ィ……。

インハイだぜ？　三日目だぜ？

「追いかけたほうがいいですか」――だと⁉

バカヤロウ、きまっててんじゃねェか。

「アア‼　そうだ‼」

巻島は大きくうでを上げて、ぶんとふり回しながら、心の底からさけんだ。

「坂道、いいか、ここから先はなにも残さなくていい‼

回せ‼　ふみ切れ‼　使いきれ‼　坂道ぃ‼」

そして上げた手で、坂道のゼッケン176番をグイッとおして、自分の前に出した。

「坂道、オレたちのエースを守れ‼」

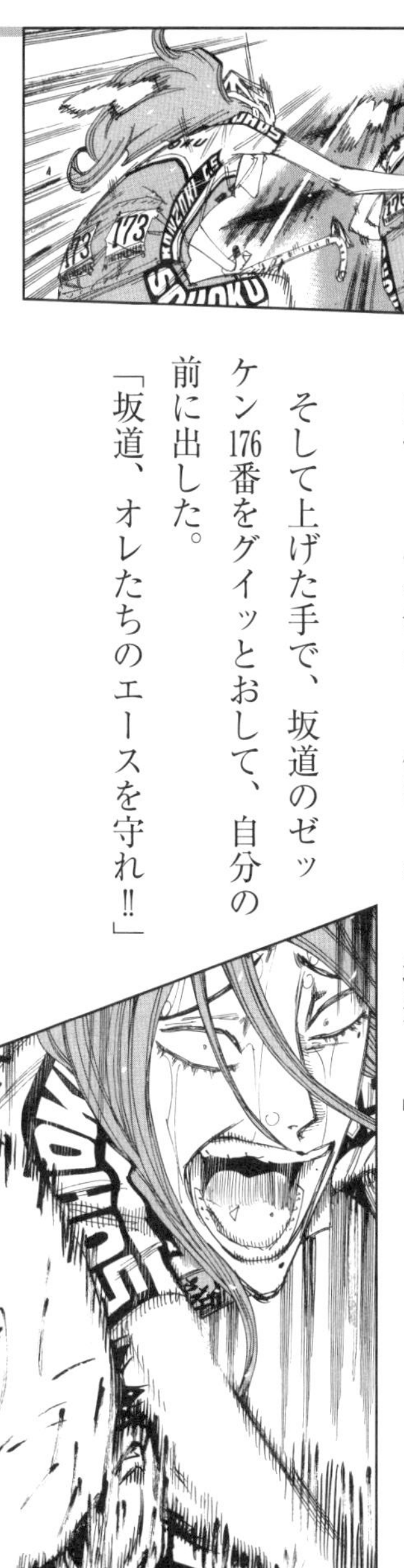

「はい‼」
返事をしたとたんに、坂道がバァンとスパートした。
ぐるぐるぐる　ぐるぐるぐるぐるぐる
ガアアアアアアアアアア
「あああああああ」
坂道はさけび始めた。
※ハイケイデンスクライムを始めた。

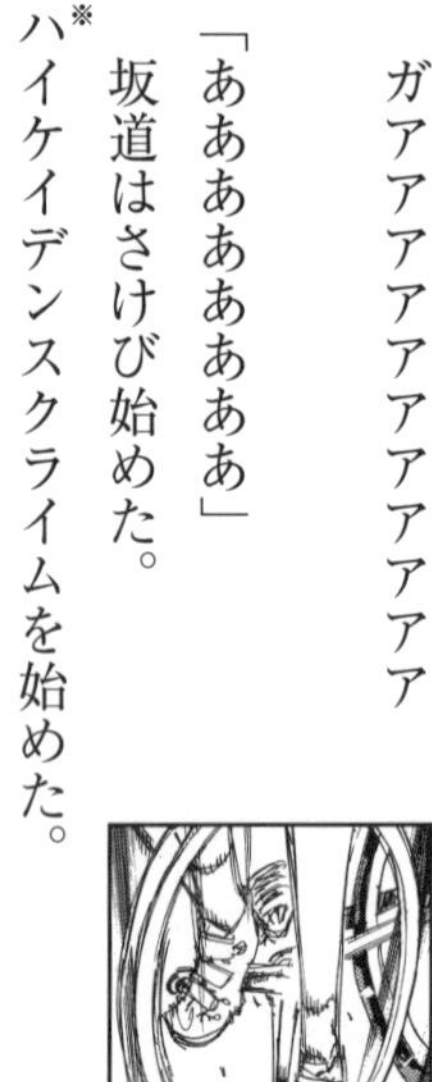

御堂筋、真波に続いて、坂道の自転車が、自分をどんどんはなしていくのを見つめながら、巻島は自分のレースがここで終わったことを知った。

坂道よ、

金城(きんじょう)の、田所の、鳴子(なるこ)の、そしてオレの夢(ドリーム)！

巻島はねがいをこめて坂道の背中(せなか)にむかってさけんだ。

「坂道ぃーーー、オレから言える最後(さいご)の言葉だァ!!
今泉(いまいずみ)と二人で、オレたち総北(そうほく)のジャージを一等最初(いっとうさいしょ)にたたきこめ!!」

「はい!!」

「ああああああああああああ」

ふっ、たのむショ、坂道。オレにできることはもう……ないショ。やるだけやったショ。

こうして、あざみラインでの、長い直線レースの展開(てんかい)が大きく動いた。

※ハイケイデンスクライム…1分間にペダルをなるべくたくさん回す坂道の得意技(とくいわざ)

先頭の今泉と福富を追うのは、御堂筋と真波。少しおくれて坂道だ。

そのずっとあとを巻島がペダルをふむ。


この役割は重荷かァ、坂道。

けど、おまえならやれるショ。

おまえは今まで、何度も――やってきたショ!!


巻島は、期待をこめて坂道を見送った。

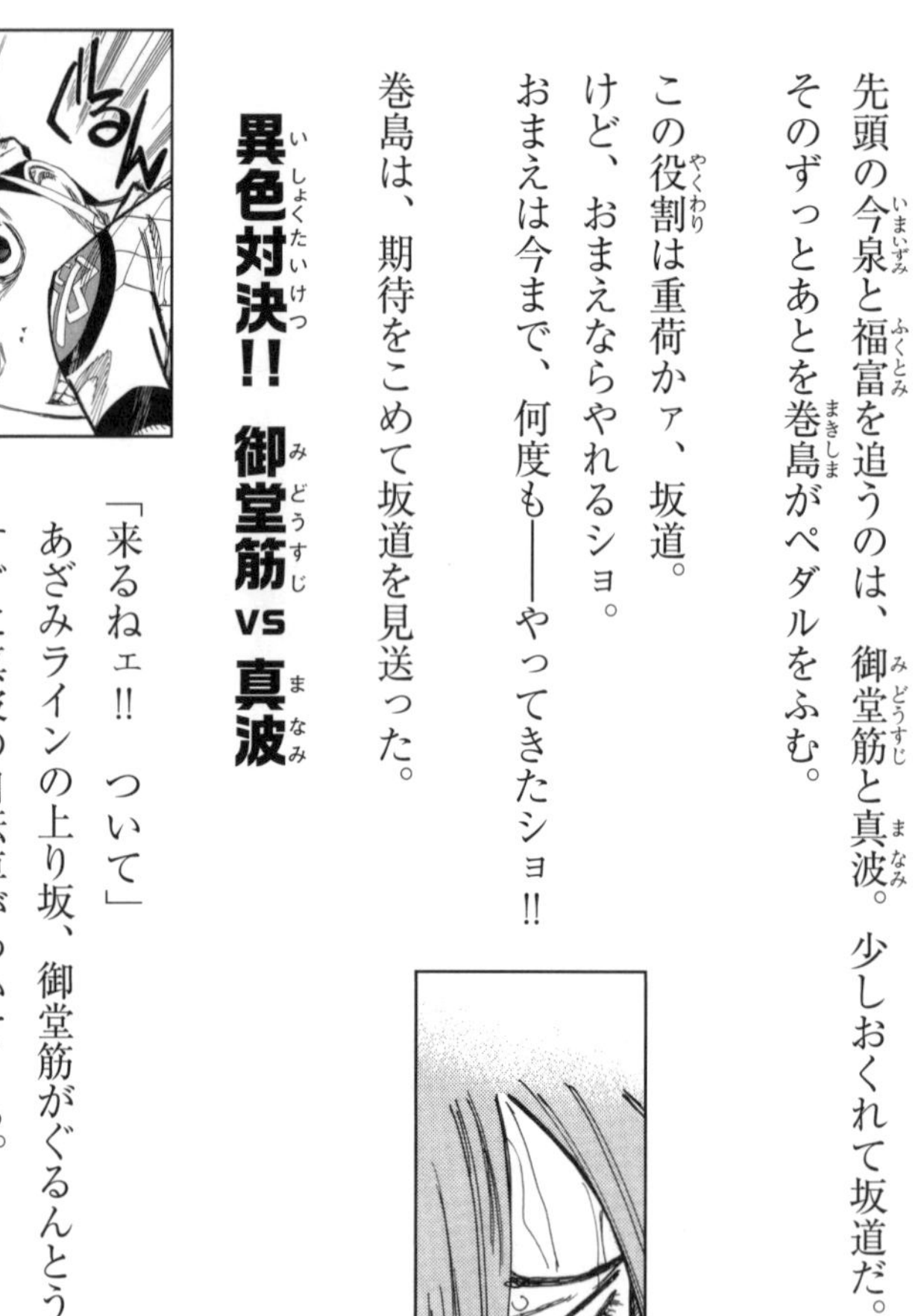

異色対決!! 御堂筋vs真波

「来るねェ!! ついて」

あざみラインの上り坂、御堂筋がぐるんとうしろをふり返った。

すぐに真波の自転車がついてくる。

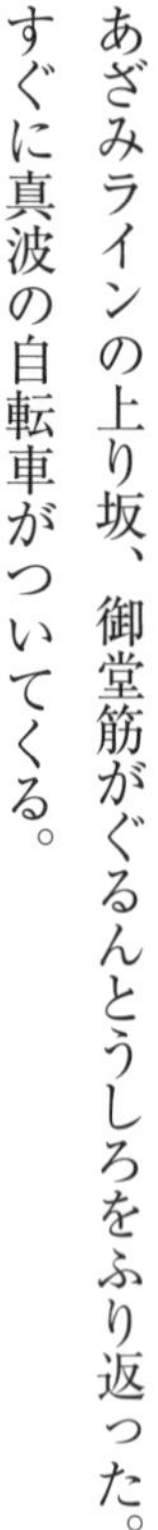

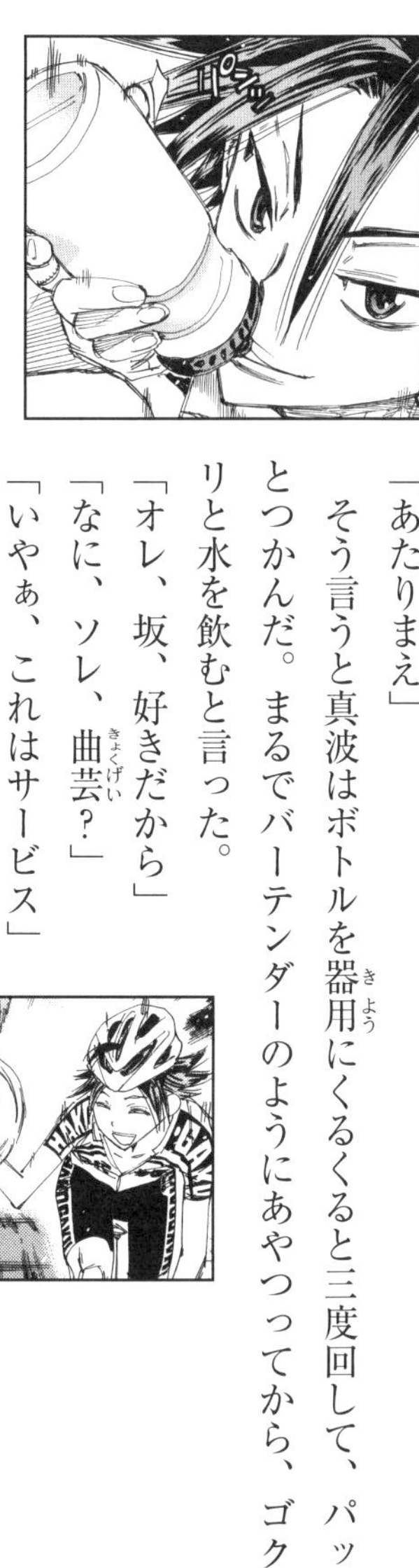

「あたりまえ」

そう言うと真波はボトルを器用(きよう)にくるくると三度回して、パッとつかんだ。まるでバーテンダーのようにあやつってから、ゴクリと水を飲むと言った。

「オレ、坂、好きだから」

「なに、ソレ、曲芸(きょくげい)？」

「いやぁ、これはサービス」

と言いながら、まだ右手でくるくるとボトルを回し、ホルダーにおさめると、

「もえるでしょ？　こうやって、てきによゆうがあるほうが」

とギラッと御堂筋をにらみつけた。

「マァナミ」

それにこたえるように、御堂筋はニッとわらった。

そして、つぶやいた。

「ハコガク、六番目ぇ……真波山岳ぅ。クライマー……データ……なしっ!!!」

御堂筋にとっても、真波の登場は意外だったのだ。事前に対戦相手データを見ていたのだが、真波のことは調べていなかった。

ドン！


御堂筋は、すぐさま力まかせにペダルをけった。力づくで勝負するかのように、らんぼうにペースを上げる。

「速い……!!」

その加速をうしろから見ていた真波は、

「やっぱり、フツウのやり方じゃ、この人、無理!!」

と、ケイデンス※をあげて、ギャンと横にならんだ。

はなしたつもりだったのに、となりにいる。御堂筋はおどろいて目をまるくした。

「やろうよ勝負!!　前のエースのところまで、どっちが速いか!!　きょうそうしよう！」

と真波が声をかけてきた。御堂筋はおどろいた。顔のあせを右手のグローブでぬぐうと、

「それーー。先頭にボクを追いつかせんようにするのが、キミの仕事ちゃうの？」

と返した。

「ハ!!」 

と真波はわらった。そして、御堂筋の顔を見ながら、

「どっちにしたって追いついちゃうでしょ、キミ!!　だったら、闘(たたか)っとかないと、もったいないだろ!!」

と、言いはなつとペダルに力をこめて、ギャンと前に出た。自転車一台半分、追いこした。

そこから、さらに、ケイデンスをあげると、美しい前傾姿勢(ぜんけいしせい)で坂を加速した。

※ケイデンス…1分間のペダルの回転数のこと

沿道で見ていたファンが、ちょうど目の前でいいものを見たとばかり、

「ハコガク6番、速ぇぇ!!」

と歓声をあげた。

「京伏、みるみるはなされるぞ!!」

やられた御堂筋はしかし、落ち着いていた。

「ププ、モッタイナイ……!!」

とモゴモゴと言うと、

「オバケか!!」

と真波の背中に声をかけた。

真波はハンドルから両手をはなすとバッとふり向いて言った。

「それはキミだろう!!」

真波は「おいでよ、御堂筋くん」とささそった。

「すべてを解放しないと、話にならない!!」
そうつぶやきながら、らんぼうにグローブを二つ、ぬぎすてた。投げられたグローブはアスファルトに落ちて、ポンと一回はねたあとにころがった。

その後、真波は、大きな声で、

「五感のすべてを使った勝負をしよう!!

そーれー!!」

と言うと、素手でハンドルをにぎりしめ、
美しいダンシングで地面をけり飛ばした。

真波の白い自転車は、しゅんびんな生き物のように加速した。

「ププ、本気を見せてボクをさそう気か……エエやろ、ノッたる!!」

御堂筋はビタァッと、ヘルメットを手でおさえ、ギュッと頭に密着させた。

「どっちにしても、目の前の全員をけちらさんと、ゴールにはたどりつかんのやから!!」

それはフクトミくん、今泉クゥン、そして、マァナミ‼」

　したを口から出して、ゆらしながら、御堂筋が真波のまうしろまで来た。

「来たね‼　御堂筋くん‼」

　真波はうれしそうに白い歯を見せた。

「おまえ……わらいながら走るの、キモいな」

　ヘルメットをグイッと持ちあげ、したをベロォと出しながら御堂筋が言った。

「そお？　こんなにギリギリの勝負ができるんだから、だれだってわらうでしょ？」

　こがらな真波と、巨体の御堂筋では倍ほども体格がちがう。うしろから来たかげにすっぽりと入って、真波は日かげになった。

ハァ　ハァ　ハァ　ハァ　ハァ
追いつく　追いつくんだ。

でも……、インターハイ三日目だっていうのに、
しんけんに走らないといけないのに、
息だってあがって苦しいのに

前に――
今泉くんや、真波くんや、御堂筋くんが
いると思うと、
ドキドキしてわらってしまう!!

ハァッ　ハァッ　ハァッ　ハァッ

真波のわらい

インターハイ三日目のここまで生き残っていながら、いまだ未知数の男、マァナミ!!

「登りながらわらう男……といえば、同じや……総北のあのメガネと。けど……、こいつのわらいはあのメガネとはちがう!! その根本が!!」

御堂筋は真波のデータを持っていない。だから今、すぐ近くを走りながらかんさつしている。

コーナーで、真波の自転車のインをうまくついて、御堂筋はにゅるぅんとならびかけた。

「うわっ、近っ」

「速っや!!」

沿道の観客は思わず身を引いた。


「わぁお、せめるね！」

と真波はうれしそうに言った。

「べぇつうに」

と御堂筋は無視した。

「だって、ボクと草地の内がわのスキマ、十五センチくらいしかないよ」

「十分やろ、それだけあれば。ロードレースはわずか白線一本分のスキマをこじあけられてこそ、勝てる競技や!!」
そういうとカチィンと歯をならして、御堂筋は前に出た。
「京伏、前に出た！」
観客がこのバトルをたのしんでいる。

見せろ、マァナミ、
その、なに考えとるかわからんキモイカオの下に
ねむるおまえの〝業〟を‼

御堂筋の自転車ははい色のデローザ。わざと小さな車体にして、サドルを思いっきりあげて乗る。きゅうくつそうなポジションに見えるが、長い手足からエネルギーをしぼり出すためにえらんだものだ。

はい色の自転車は、白色の自転車をまたたく間に七メートルほどつきはなした。


「京伏がはなすぞ‼」

「ハコガク6番と京都伏見がすげぇいきおいでおいあげてるぞ」

歓声の中を二台が、つぎつぎとかけぬけていく。

※業…意志。意志がもらす行為

御堂筋は、真波の実力を読もうとした。

脚はある
センスもある
たしかに強い。
そりゃあ王者のゼッケンをつけとるから当然や。
けど、この最終戦でもっとも大切なのは
個人の精神力
飢餓心
しゅうちゃく
ゴールへのかつぼうや‼

御堂筋は自分はそれらがすべて、真波より勝っていると思っていた。

ハァッ　ハァッ　ハァッ　ハァッ　ハァッ　ハァッ

あらい息の音がだんだん大きくなって、白い自転車が追いついてきた。

あきらめへんか……。

御堂筋はすこしおどろいた。

真波の力をみとめざるをえない。思っていたよりも底力がある。

そこで御堂筋はていあんした。

「マァナミくん、この勝負、ボクにとってはふりや。
このまま行っても、ハコガクを二ひきにふやすだけ」

たしかに、二台がこのハイペースで行けば、先頭の今泉、福富に追いつきそうだ。
そうすれば、今泉（総北）、福富（箱根学園）、真波（箱根学園）、御堂筋（京都伏見）

の四台となる。つまり、二台ある箱根学園が圧倒的に有利なシチュエーションになるのだ。

「だからァ、じょうけんつけよか……、エースまでたどりつくこの勝負……。

『負けたら、勝ったほうをゴールまで追いぬかない』コレ、どや？」

御堂筋はふかしぎなかけ引きを出してきた。

どや、のるかマァナミ……

王者ハコガクゥ

最終ゴールまで、残り十キロォ!!

御堂筋のワナなのか。勝つためならどんなことでもやるレーサーだと真波は思った。

「おもしろそうだね　それ!!　ギリギリじゃないか!!」

その目を見て、さすがの御堂筋もゾッとした。

真波のひとみが、見えているのか、見えていないのか、わからないほどとうめいに思えたからだ。いっしゅん、人間じゃないものを見た気がした。

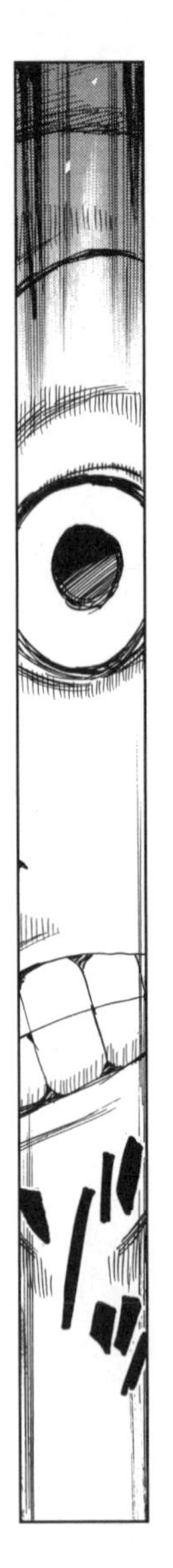

もう一度、ゾッと寒気を感じたときに、もう真波はなにかの異生物のようにペダルをふみ、あっという間もなく、御堂筋の前に出る。

御堂筋は大きく口を開けた。はなされないように、ついていかねばならない。

前が6番、うしろが91番。

真波がフルパワーで上り坂をにげ始めた。

「ハコガクが前だ。ぬいたァ!!」

「マジでどうやって」

「6番、いまジャリの上を走ったぞ」

観客がわく。インターハイ、最終日がますますもり上がってきた。

速い‼

御堂筋は後手に回った。ついていくのにひっしだ。

いっしゅんではんだんしたということは、なにも考えてないのか？

もし、負けたらゴールをとれんというじょうけんや。

いや。この男……負けることは最初から想定に入ってないということか‼

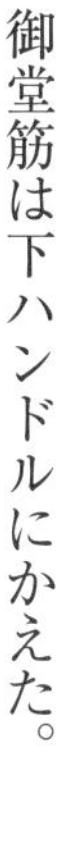

御堂筋は下ハンドルにかえた。

「キモハヤァーーーーーー!!」

とさけぶと、自転車から上半身を乗り出して、体重を前にかけ、速度をのせる。

白い自転車にならんだ。デッドヒートだ。

ギャアアアアアアン！

コーナーで有利なインコースをうばい合う。

ガアアアアアアアア

二人はまるでダンスをしているようだ。やがて、力感あふれる御堂筋のダンシングが、真波のしなやかで美しいダンシングの前に出る。

「ギリギリだよ……でもこういうのオレ、好き。オレ……生きてる！」
ぬかれた真波が、これ以上ないさわやかなえがおでそう言った。
それを見た御堂筋が、ザワッと鳥はだを立てた。

真波はえみをうかべたまま、もうれつないきおいでしゃべりはじめた。
「御堂筋くん、ねェ、キミは学校で授業を受けてるとき『生』を感じる？　オレは感じない‼　外に出て、空気にふれて、風や雨や日差しや寒さを感じて、五感を開放して、道や自然とたいじして、あらゆる手段を使って前のてきを追いぬこうってもがいて、体中の力を使ってギリギリまで追いやって、それって、『死』にすごく近いと思うんだ。けれど、わかるだろう？　人はだれしもそうなんだ。そういうときにわきあがるんだよ。

自分が本当に生きてるって感情が‼　だからオレは自転車に乗ってるんだ‼」

言いおわるころには、真波がふたたび御堂筋の前に出た。御堂筋はあっけに取られた。真波はこれまで対戦したことのないタイプのレーサーなのだ。

「すげえ、いっしゅんで今、ハコガク、前に出た」

観客は「なんだ、あの二人‼」とおどろいた。

ギリギリの闘いを好む男、真波……。

よりリスキーなほうが、もえるということか⁉

こいつ、心の底から闘いを楽しんどる‼

だからわらう‼

御堂筋は真波がわらいながらペダルをこぐ理由がなっとくできた。

そして、

「おまえ、キモくないな」

と言った。

それを聞いた真波はうれしそうな顔で言った。

「見てみる？　あるんだ!!　まだ、とっておきが。

そーーーーれーーーーー!!」

風

「え？　真波が出た？　ハァ？」

コースわきでけいたい電話で話しているのは、箱根学園の給水部隊の一年生だ。

「東堂さんはどうなってんだよ⁉　おさえられてる⁉　総北の巻島に⁉」

「マジかよ」

二人して途中経過をかくにんしている。

「まてよ、てことは、追いあげてきた京都伏見の御堂筋を追ってんのは……真波一人かよ！」

「かーーーーっ、むりだろ、あいつ。ボーッとしてるからなぁ……。いまだにあいつがメンバーにえらばれたのは神風のおかげだってウワサだしな」

「いや……あいつならおさえるかもしれねぇぞ」

「え……く、く、く、黒田さん！」

そこにスッとあらわれたのは、二年の黒田雪成だ。

一年がビクッとしたのは、黒田は真波にやぶれて、レギュラーの座から引きずりおろされたからだ。

黒田はかまわず言った。

「登りってのは、重力にさからって走るだろ。そこにぐうぜんの勝ちはないんだよ」

常勝軍団、箱根学園のインターハイ出場メンバーを決める部内予選で、黒田は箱根の山ごえで後輩の真波にやぶれた。今はハコガクのバックアップメンバーとしてうらかたの仕事をしながら、レースのゆくえを追っている。

「ぐうぜんに追い風がふいて、真波がオレに勝ったって語りぐさになっているけれど、オレはそうは思っていない。ヒルクライムってのはそんなにあまくない。レースに出ている真波と、ほけつに回ったオレにちがいがあるとしたら、勝機が見えてるかどうかだ。ヤツには見えていた」

「いつもボーッとしてますし、いっしょに練習やってますけどそんなにスゴくないスよ」

と一年生のほけつが言う。

黒田はひたいをゴシゴシこすると、
「それは練習だからだ。本気で……闘っているときのあいつは……オレはわかる……わらってこそいるが、ゾッとするほどの、すさまじい集中力なんだ！」

「そーーーーーれーーーーーー!!」

真波はギュンギュンと飛ばし始めた。
ちょうしが出てきた。

真波と御堂筋の〝ほかにはナイショ〟のマッチレースは、まず真波が前へ出た。

しかし、言い出しっぺの御堂筋だってかんたんに引き下がるわけにはいかない。
はなされてもいつの間にか真波のまうし

ろにピタリとつけている。二人はじしゃくですいよせあっているかのようだ。

「さすがだね、御堂筋くん‼
くる‼　ついてくるね」

真波もどこかたのしそうだ。

「おまえ、キモくないな」

と御堂筋は真顔で言った。

みなぎる集中力、闘争心（とうそうしん）、そこらへんのザクとはケタがちがう‼　けど……。

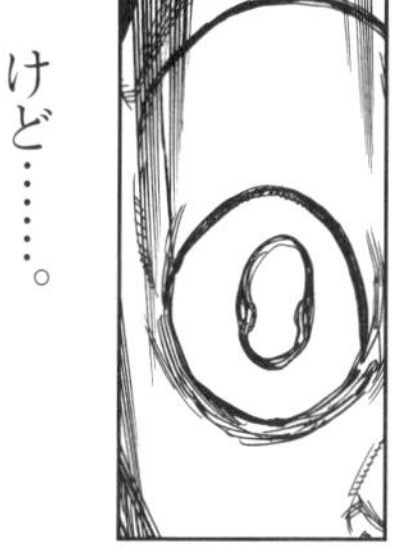

また、カチンと歯をならした。

御堂筋は、これまでいつもイライラしてレースをしてきた。どいつもわかってへん、ぬるいことをゆうてる、と。やっと出会えた、好敵手。本気で闘う気になる相手にレースのとちゅうで出会ったのだ。だから――、真顔だ。したも出さない。

「しかし、ええのか、おまえ」

「なに?」

「そんなに力を出しきって。先頭に追いついても、エースを守られへんのやないか」

「いやあ、せっかく強いキミが追いあげてきてくれたんだ。言ったでしょ、勝負しとかないともったいない!! それと、エースに追いついても心配はいらないよ。つぎの〝つづらおり〟でキミを引きはなすから」


これまで直線が多かった富士あざみラインの上り坂。すこしずつ、左右のコーナー(カーブ)はふえていた。この先は、右に左にまがるコーナー、つまり、つづらおりが続く。それは一気に上にあがっていくことも意味する。

感じる……と真波は思った。

「よこくゥ？」と御堂筋は聞いた。

「だって、感じる……」

「心理戦か、マァナミ」

「くる……感じる!!」

「はぁ？」

「御堂筋くん、ロードレースは自然との闘いだ!! けど、自然は大きい、相手にならない。道のけいしゃがキツいからって、ゆるくなんかならない」

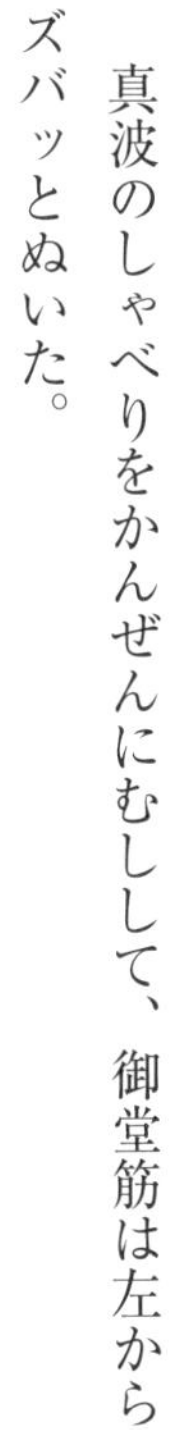

真波のしゃべりをかんぜんにむしして、御堂筋は左からズバッとぬいた。

「京伏、前に出たァ‼」

と沿道がわいた。

ところが、真波はそれを無視したまま、ずっとしゃべり続けている。

「あついからったってすずしくもならない。自然ははじめから御することはできないんだ。だから——、声を聞くんだ」

ビュウウウ

と風がふいた。

ジャン

うしろで音がした気がして、御堂筋はふり返った。こいでいる真波が見える。

ギアの音⁉　あげた？

ここで!?　くる!?

ドッ

バッサァ

つばさ？

御堂筋がぼんやりしたしゅんかんに、一気に真波が飛びこんできた。まっ白な自転車が、はい色の自転車の横を進んでいく。

御堂筋はどうしたことか、なにもできずにただ見ているだけだった。追いぬいていく真波の背中に、つばさがはえていた気がしたのだ。

御堂筋は、真波を見続ける。真波は自分をぬき、どんどんスピードを上げて行ってしまう。

羽根(はね)？

なんだ？

「なんだ、今の。6番、キモチわるい加速したぞ」
「風だよ。今の突風(とっぷう)にのったんだ」
と観客(かんきゃく)の声が耳に入って、御堂筋(みどうすじ)はわれに返った。
「京伏(きょうふし)、はなされたぞ！」

なんや、羽根⁉

いっしゅん、羽根が見えたわ……それがおまえの
「とっておき」か。
「わるいけど、この勝負、オレの勝ちだ‼」

これが黒田が言っていた、真波(まなみ)が勝機(しょうき)をつかむ力なのだろうか。

御堂筋をおきざりにしながら、真波はしんけんな顔でペダルをふみ、前に進んでいく。

「ウッギャアア、マジハヤァァ。それがとっておきか‼

とっておきか‼」

御堂筋は気がおかしくなったかのように、わらい始めた。

顔を自転車の横からかたむけて、ゲラゲラとわらっている。

「て?」と言いながら、ニコッとわらう。

「から?」

と言いながら、わらう。

「突風なら一度だけとはかぎらんやろ、マァ……ナァミ‼」

とさけぶと、御堂筋（みどうすじ）は、自分の背中（せなか）から黒いつばさを出したように見えた。

ゴォア――

バサァッ

風に乗ればええんやろ。

御堂筋は真波（まなみ）をすぐにまねた。黒いつばさを出して見せた。

「こんな感じ？」

と言いながら、あっという間に、真波に追いついてならんでみせた。

「ヒュウ。御堂筋くん」
と、真波は思いっきりわらいながら言った。

「マァ……ナミ‼」
と、御堂筋もわらい返した。

そのころ、先頭集団は……。
来てる……‼
うしろから御堂筋……ハコガクの真波……か。
二人……、いや、もう一人……。

小野田坂道のごとく

ハァ　ハァ　ハァ　ハァ　ハァ　ハァ　ハァ

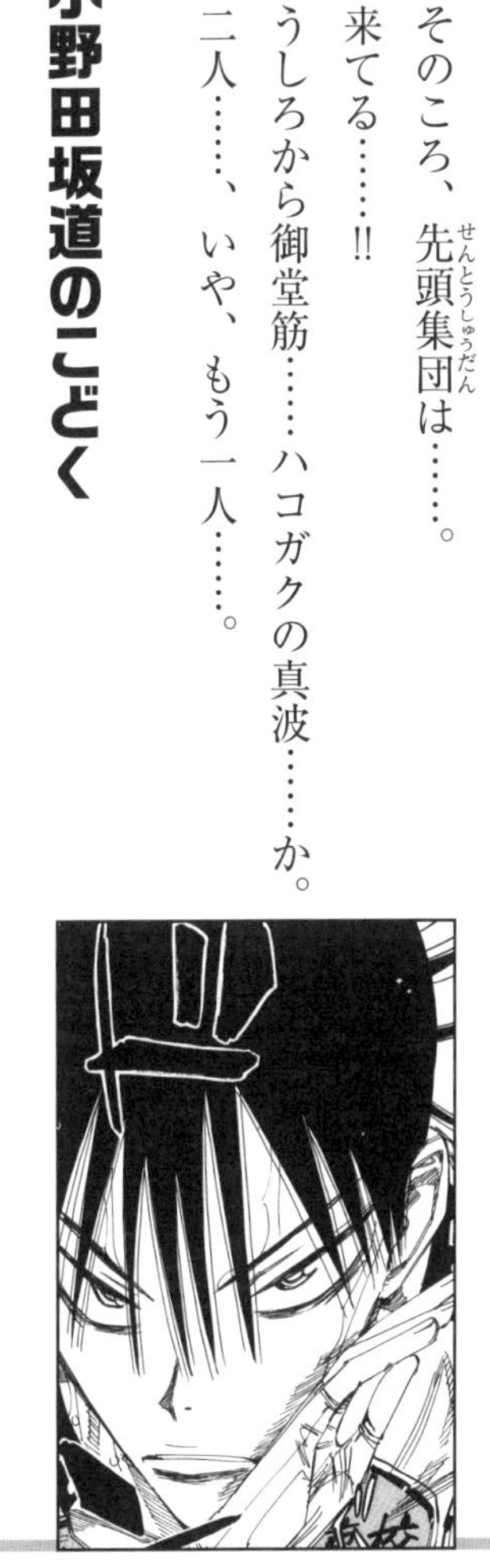

一人だ……。

田所さんも、金城さんも、鳴子くんもいなくなってしまった。

巻島さんに言われた。

「ふみきれ坂道。エースを守れ」

そう送り出されて、ボクは今、登りの道を一人で走っている。

前には強い御堂筋くんがいる
速い真波くんもいる
その二人に追いついて
エースにも追いついて
今泉くんを守るのがボクの役目

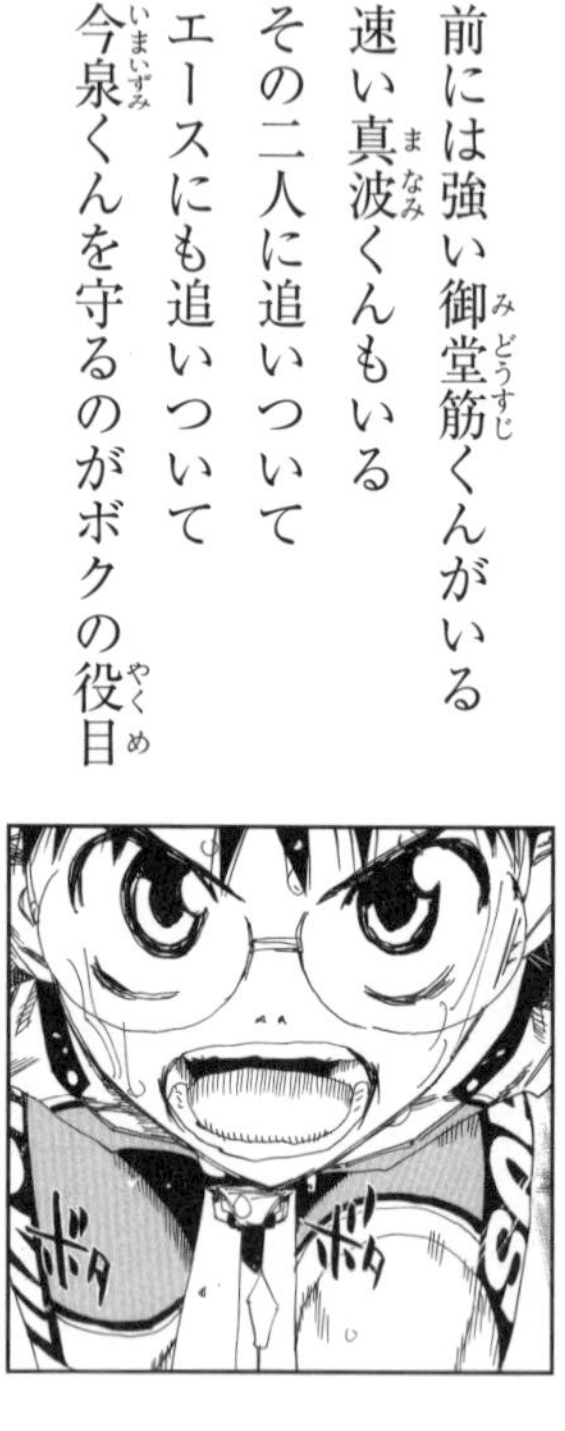

ぐるぐるぐるぐるぐるぐるぐるぐるぐるぐるぐるぐるぐる

だからぜったいに足はとめない!!

ヒメ　!!

金城さんは昨夜のミーティングで言った。

「明日、三日目、最終日は、全員がかならずゴールできるわけではない。
きずついた者、げんかいになった者は、おいていけ。たとえチームメイトでもだ。
明日は今日のような救出はしなくていい。じょうきょうはつねに変化する。
変化に対応し、ワンチャンスをのがすな。チャンスをつかんだ者は、
おいていかれた者の心をつんで走ればいい」

金城さん……!!

ボクはそのチャンスをもらったってことになるんですよね。
重たいです。正直重たいです。

だけど、ボクがみなさんをささえる番なんだ。

ボクがやらないとダメなんだ!!

田所さんはいつも前を引いてくれた。

鳴子くんにも力をもらった。

みんな、このレースにすべてをかけているんだ。

そうですよね、巻島さん。


坂道は、ペダルをぐんぐんとふみながら、巻島に夢をたずねた日のことを、ふいに思い出した。練習がおわった巻島は自転車を整備する手をとめて、

「そりゃあ、決まってるショ。クライマー全員の夢だ……」

と言ったあと、坂道の目をみて、こう話したのだ。

「山頂ゴールのトップをとることショ」

ゴールまで残り九キロのかんばんが出た。
ずっといっしょにいてくれた巻島さんはもういない。
もうボクは一人だ。一人なんだ。強くならないといけないんだ。
強くなれ。

ぐるぐるぐるぐるぐるぐるぐるぐる
ぐるぐるぐるぐるぐるぐるぐるぐる

あがれ　あげろ
もう三十回転、ケイデンス!!

後方の東堂（とうどう）と巻島がのんびり走りながら話している。
「まさか。オレたちがこのインハイのラスステの登りで、こんな後方（とこ）にいるとは思わなかったな、巻（まき）ちゃん」

「東堂ぉ……まぁ……レースってのはつねに読めないもんショ」

「御堂筋……か。やはりあの男、規格外……だな。あれほどの追い上げを見せるとは……」

「めずらしく弱気なコメントショ、東堂」

「いや。うちにもどうやら規格外の男がいたのでな。心配はしておらんよ」

「――真波か」

「まるで今、レースを始めたかのように飛ぶように追い、その集中力もなみなみならない。福富がオレのうしろで温存しておけと言ったのが、よくわかったよ。そのとんでもない二人が今、出ている。それを追ったメガネくん――正直、実力差は歴然……。巻ちゃん……おくれて飛び出したメガネくんが追いつくと思うか!!」


「当然だ!!　だからオレはたましいをあずけた!!　あいつはふり返ったり、立ち止まったりばかりで、器用じゃねェ……けど、一歩一歩かくじつに登る男なんだヨ!!」

第二章 五人の先頭集団（せんとうしゅうだん）

追いつきました、巻島さん

ハァ　ハァ　ハァ　ハァ　ハァ　ハァ

「ハァ　ハァ？……だ？　メ……ガネ!?」

と御堂筋がふり向いた。

「なんでキミがそこにいるの、坂道くん」

同時に真波もふり向いた。

ハァッ　ハァッ　ハァッ　ハァッ　ハァッ

坂道が息を切らしながら坂をあがっていく。

「ついた……。追いつきました、巻島さん!!!」

とさけんで目を見開いた。

なんや、なんや、なんや、総北メガネ、おまえは!!

御堂筋は、首をねじまげてうしろを見た。

自分の目をうたがった。

まさか、坂道が追いついてくるとは思っていなかった。

まったくの想定外だったのだ。


「追い……ついたよ、御堂筋くん！　真波くん！」

というと、坂道はそのまま、前の二台の間に割りこもうとするいきおいだ。

こ……こいつだけはイミが、ワカラン。

御堂筋(みどうすじ)は歯をかみしめた。

なんのために追いついてきた。
なんで追いついてきた。
なにがほしくてここまできた？
なにがしたい⁉
なんやおまえは、なにしにここまで登ってきた‼

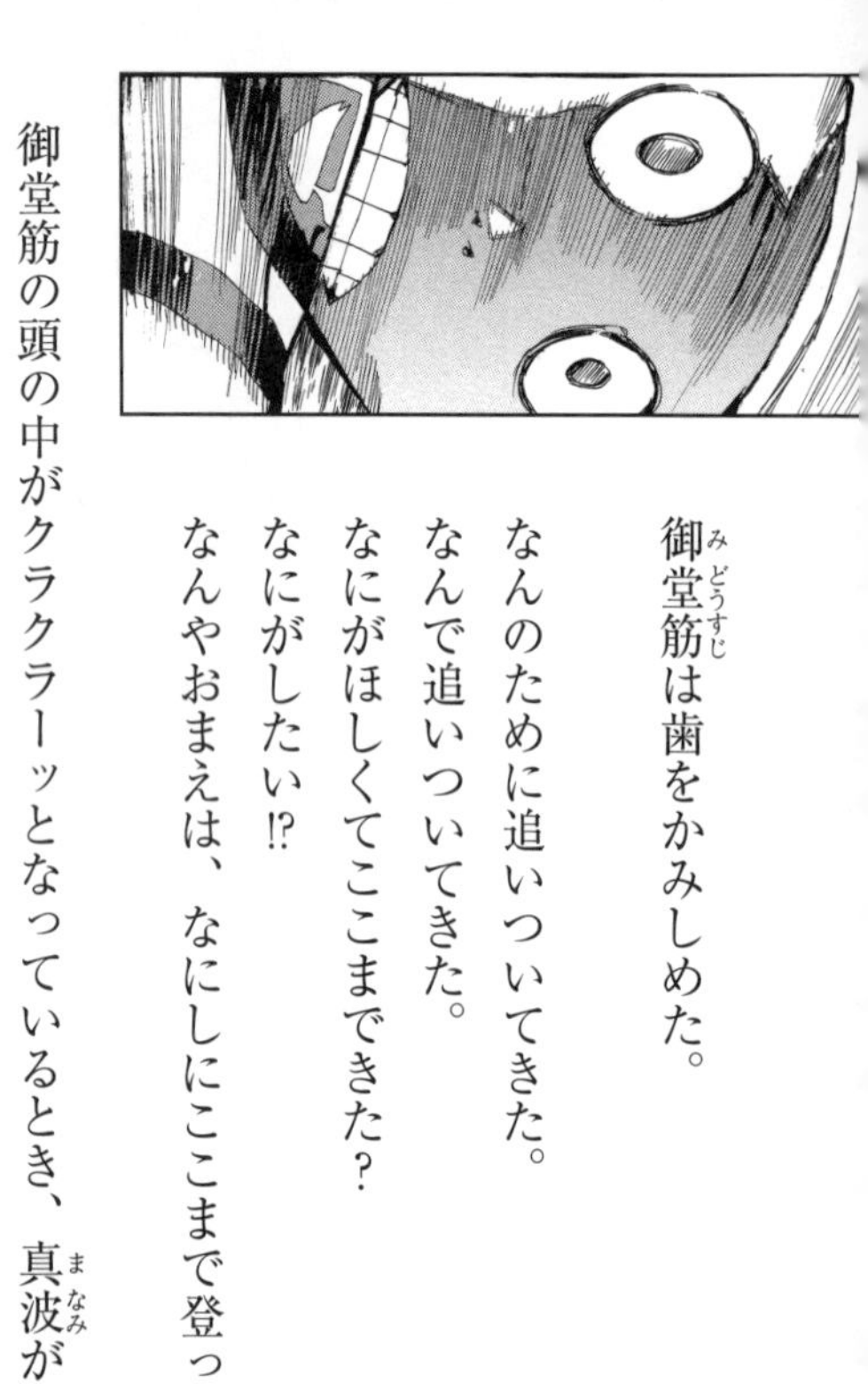

御堂筋の頭の中がクラクラーッとなっているとき、真波(まなみ)が坂道に話しかけた。
「なんで、追いつけるんだ……。オレらはね、勝負して、本気の走りをしてたんだよ‼　坂道くん‼」
その言葉が聞こえたのか聞こえなかったのか坂道はハァハァと苦しそうな息をしていた。

やがて、

「真波くん……、御堂筋くん……。追いつけてうれしい……。登りながら何回も顔がうかんで、この道の先に二人がいると思うとドキドキして、力がわいてきて、ボクはわらってしまった」

とニコリとした。


キモォ!!

御堂筋はのけぞった。真波はかたまった。
「またいっしょに自転車で、あの……いっしょに走れると思ったら、すごくうれしくなったんだ」
坂道は、言いたい言葉があふれて口をパクパクさせた。
「だけど、ボクは巻島(まきしま)さんに、エースを守れって言われた。みんなにジャージをたくされて、ゴールを、今泉(いまいずみ)くんと二人でとってこいって言われたんだ。だから御堂筋くん!」

ハァ　ハァ　ハァ　ハァ　ハァ　ハァ　ハァ

「ボクはキミをとめる‼　そして、ぜったいに……
エースのところへは行かせない‼」

大きくさけんだあと、坂道は御堂筋（みどうすじ）をギッとにらみつけた。

御堂筋は、坂道のそんな強い顔を見て、口をパカッと開けておどろいた。

「ボクを……？　とめる？」

もう坂道は御堂筋の自転車の真横にピッタリとならんでいた。

真横で顔を見合わせながら、御堂筋は、

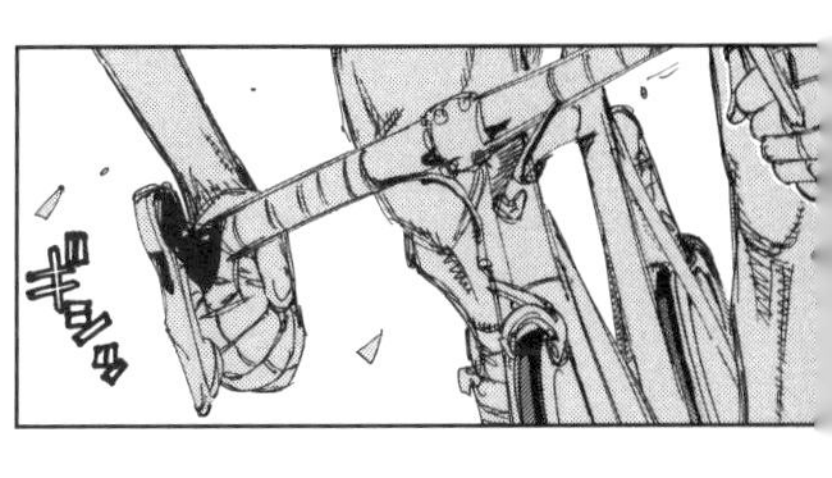

「すこしワカリやすくなったわ……」
と言うと、しりを上げてダンシングを始めた。

ギシッ　ギシッ　ギシッ　ギシッ

タイヤが地面をつかむ感覚がして、自転車を左右にふり始めた。上り坂での加速だ。

「ようするにチギればエエいうことやろ？
らー!!　らーーーーー!!
らーーーーーーーーーーーーーッ!!!」

御堂筋はロケットが発射するみたいないきおいで飛び出した。

あっという間に坂道と真波をおきざりにする。

観客が、

「すげ、なんだ今の加速」

「やばっ、いちばん速ぇ！」

と声をあげるほどだ。

御堂筋は、
とめるやて？　アホやろ、メガネ。
ボクをどうやって、なにをしてとめるねん。
おまえの実力でか？
チギれば、おまえのそんざいそのものを無意味化できるぅ‼

と、どんどんペダルを回していく。

むらさきジャージの91番、御堂筋のうしろすがたを、坂道はぐっとにらみつけていた。

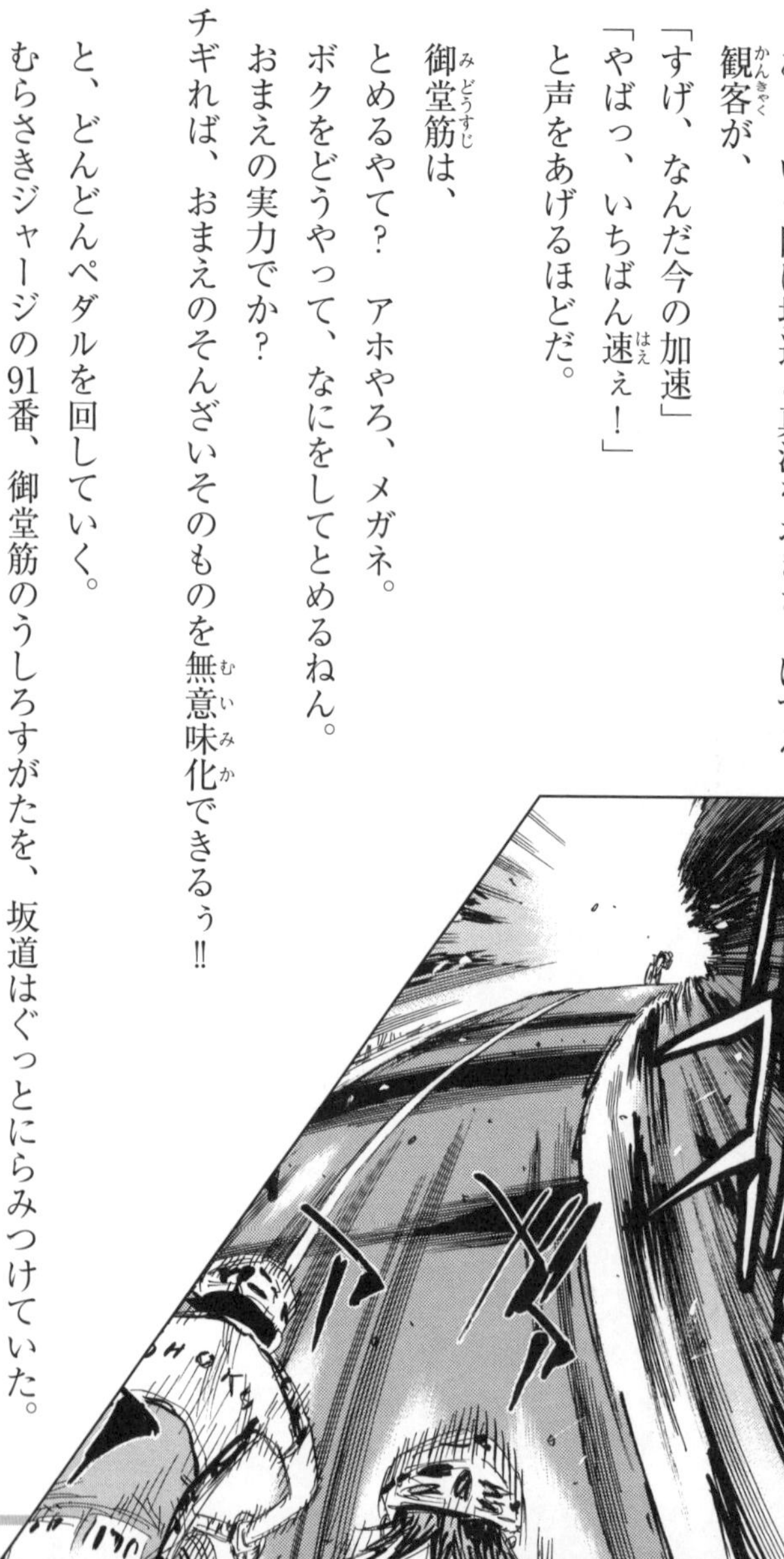

「ダメだ　ダメだ　ダメだ　ダメだ　ダメだ　ダメだ
とめる　とめる　とめる　とめる　とめる
ぜったい、とめる、御堂筋くん!!」

ぐるぐるぐるぐるぐるぐるぐるぐるぐるぐるぐるぐる
坂道の自転車がはずむように地面をけって、
速度を上げ始めた。

そのきはくを感じた真波は
ハッとしてつぶやいた。
間近で見ると、すごい！
これがキミの本当の力なんだね。

坂道は、ほえた。

ああああああああああああああああああああああああああああああああ

坂道のほえる声が山間にひびいたのを合図に、バラけた三台がまたかたまっていく。

京都伏見(きょうとふしみ)のむらさきジャージ、総北(そうほく)の黄色ジャージ、箱根学園(はこねがくえん)の青ジャージ。御堂筋(みどうすじ)のすぐ横に坂道、そのうしろに真波(まなみ)。

「ハァ?」

と御堂筋が目を開いた。

ハァ　ハァ　ハァ　ハァ　ハァ　ハァ　ハァ

坂道がまだ、ひときわ息があらい。いったん息を整えるとまたスパートした。

黄色が前。自転車一台分あけてむらさき。すこしはなれて青。

「とめる、ぜったいに！」と坂道はさけんだ。

御堂筋は、

ハァ？　追い……ついた。ボクにィ!?　おまえが!?　そんでボクより前にィ!?　前に!?

あのときは、勝利(しょうり)のカケラもかんじさせんかった男が、前に出る？

ぬく!?　この山で!?

ここはインハイのラスト、ヒトケタキロやぞ!!

すると、右手を右目にあて、なにかのじゅもんのように、

「サ……カミチィ!!」

と指で右目を大きく開いた。

青いジャージの真波は、白い歯をみせてえがおになっていた。

「オレが思ったとおり……いや、それ以上だよ、キミは!!　坂道くん!!」

こうして三位四位五位のところで、三台のバトルが始まったのだ。

にげる箱根学園

同じころ、レース先頭付近では——。

「山岳ライン、トップ通過は総北高校

今泉俊輔選手‼

どうどうと箱根学園をしたがえての三日目の山岳ゼッケンをかくとくです‼

今泉選手はまだ一年生です‼」

アナウンスがなりひびく。


トップの今泉が山岳のリザルトラインを通過。富士あざみラインに入ってすぐにスパートして先頭で坂を登り、ついには山岳のめいよのレッドゼッケンまで取ってしまったのだ。


記録係のテントがあるこのあたりは、観客も多く、たくさんの歓声があがった。

「まだ一年だぞ。インハイの山岳を取るなんて！」

「マジで⁉　すげえ‼」

「行けぇ、総北ぅーーー‼」

朝からまちかまえていた観客は、トップの通過に大もりあがりだ。

実況をするスピーカーからは、

「山岳ラインを通過したら、いよいよゴールです。最終ゴールまで、残り六キロです」

とがなり声がして、山間にこだました。

今泉が通過したすぐうしろを走る箱根学園の福富が、リザルトラインをこえると、歓声があがった。

「ガンバレ、ハコガク！」

「王者ぁ‼」

それを背中でかんじながら今泉はチラッとふり返った。
福富がうつむいたままペダルをふむのが見えた。
箱根学園エースナンバー、ゼッケン1、福富さん。
つかれて、あきらめて、うつむいたまま走るエース。

外からはそう見えているだろうか。
だが、再三のオレのアタックにことごとく反応し、ここまでついてきた。

ねらってる……。
この人はまだ死んでない。
最後の一矢をたんたんとうちにひめて
最後のゴールをねらってる!!

今泉はれいせいだった。ずっとレースをリードしてきた福富の心のうちを読んだ。

おそらく真波か東堂さん、どちらかが追いついてくることを予測してるんじゃないですか、福富さん。
あるいは、御堂筋もやってきて、この先、うしろの三人が追いついて五人のゴール争いになれば、混戦……。

そうなれば勝てる……そういう計算ですか、福富さん？

そのとき、今泉のこめかみあたりからあせが流れて、ボタッとアスファルトに落ちた。

問題ない。それさえ問題ない‼
だれが何人こようとゴールはオレがとる‼

今泉はギラついた目で、まだまだペダルをふみ続ける。六キロ先のゴールへ向かって。

三つ巴の闘い

坂道と御堂筋のつばぜりあい。

「ああああああああああああああ」

「らーーーーーーーーー」

　黄色とむらさきのデッドヒートがくり広げられている。

「おさえる、おさえる、おさえる、ボクはキミをとめるんだ!!　出しきれ!!」

　坂道は、御堂筋の前に出て、スピードを落とさせたい、自由な走行をじゃましたい。

　御堂筋は、目先のじゃまな虫みたいな坂道をぬきさって、今泉のところへ、いっこくも早く追いつきたい。

「御堂筋くん!!　ボクはキミをとめる!!」

坂道は巻島（まきしま）から『エースを守れ』と言われたことをわすれていない。

そのとき、ヌルウッと御堂筋（みどうすじ）が前に出た。

「そのレースぎじゅつでは、むりやん」

「え？」

「・・・インがわがガラあきやん。へたなライン取りやな」

コーナーをまがっていくとき、坂道の自転車は遠心力（えんしんりょく）で外にふくらんだ。そのときに、山はだと坂道の自転車にあいた少しのすき間をついて、御堂筋は坂道をぬいたのだ。

「ボクをとめるぅ？　セリフはカッコええけどむりやよ。ぎじゅつてきに!!　サカァミチィ!!」

「御堂筋くん!!」

坂道があっけにとられているうちに、今度は真波までが坂道をぬいていった。

「来たか、マァナミ。ジャマは入ったけど、生きとるんやろな。あのルールは」

と御堂筋が話しかけた。

「ああー、エースに追いつく対決？　先にエースにならんだほうが勝ちっていう——。しかもその勝負に負けたら、負けたほうは勝ったほうをゴールまで追いぬかないってヤツだね!!　もちろん！　キミさえよければ!!」

真波は闘いにいどむようにかえした。

「言うねえ!!　ええにキマっとるやろ!!」

二人は、ニヤリとわらい合った。

そこで真波（まなみ）が、

「――あ、でも、もしも、坂道くんが勝ったらどうする？」

「！　ププ、もしも……やな……」

そのとき、坂道はあせっていた。

二人をおさえられない！

どうする‼

二台は前に行ってしまいそうになっている。

そのとき坂道は鳴子（なるこ）の顔がうかんだ。あの声が聞こえてきた。

「どこかにあるはずや、得意分野（とくいぶんや）が」

そして、今泉（いまいずみ）の声も聞こえた。

「あいつは一度はりつくと、はなれない」

あ。それだ！

おさえることがダメなら、はりつく‼

坂道は気持ちを切りかえた。ぐるぐるぐるとペダルを回して、御堂筋（みどうすじ）のおしりをにらみつけた。

御堂筋が真波に、「その場合は、ルール適用（てきよう）や！」と言っているところだった。

ぜったいにはりつく！

はりつく！

ふいに目の前まできていた御堂筋のしりがなくなった。

え？

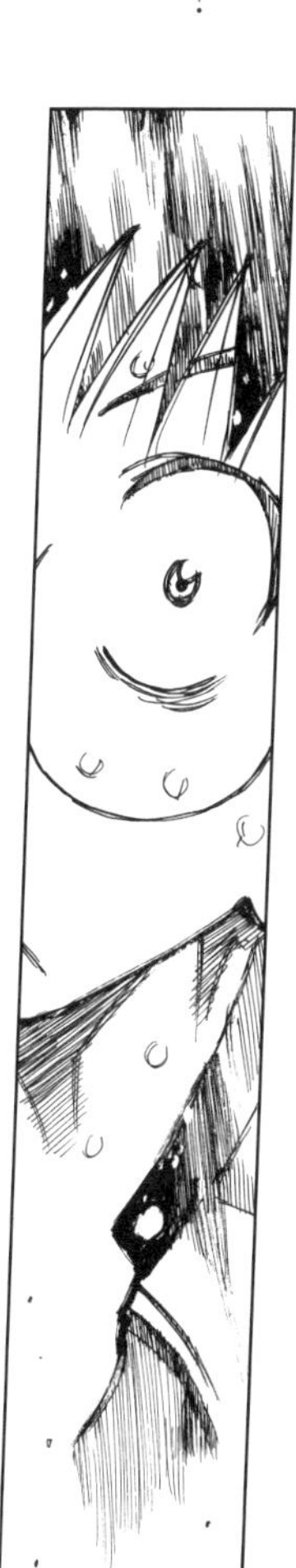

右への急カーブ、御堂筋(みどうすじ)は右にまがり、真波(まなみ)も右にまがった。
ところが坂道は気づくのがおくれて直進してしまった。
「しまった。はりつきすぎて、道を見てなかった――!!」

ガン

坂道は右手で急ブレーキ、重心をかたむけて、後輪(こうりん)をドリフトさせる。

坂道の自転車は道をはずれて、観客(かんきゃく)のいる草地につっこんだ。

「うわヤバ!」

「たおれるぞ」

観客がおどろいた。つっこんでくる自転車をさけるためににげまどう。

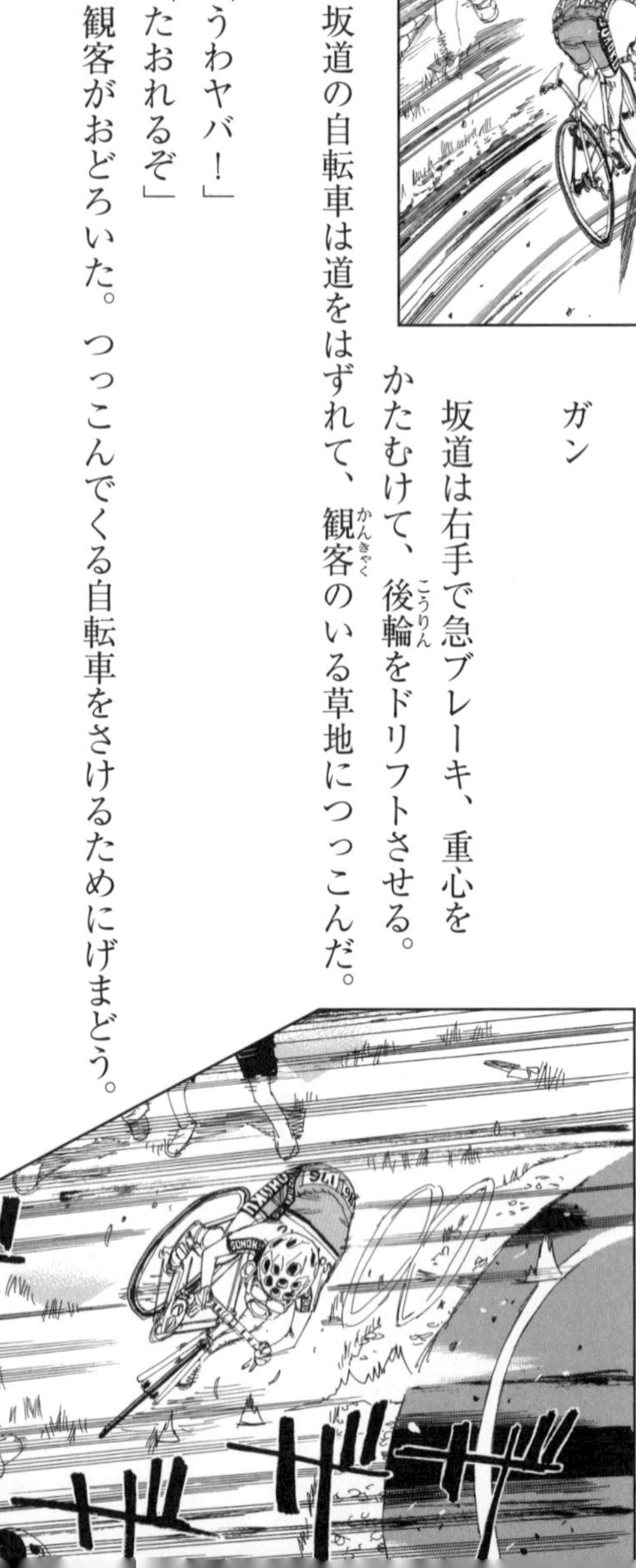

「とまれ、とまれ、とまれ！」

後輪が草の上をよこすべりして、やがて自転車はとまった。

坂道はころげなかった。体も、自転車もダメージは最小限（さいしょうげん）だ。


あっけにとられる観客と目が合うと、坂道はギラァッとにらみかえした。

「すいません、通ります」

草地をダッシュしながら、自転車をおしてアスファルトの道路にもどる。

「だいじょうぶか、キミ？」

とうしろから心配する声が飛んできた。

ああ、ボクはへただ。

だから一つのことを、がんばってやるしかないんだ。

田所さんは「たおれても走れ」と言った。

巻島さんは「どんなじょうきょうでも、とっぱするっきゃないショ。やりたいこと、のこってんなら、つべこべ言わずにペダルを回すしかないショ」とおしえてくれた。

鳴子くんはボクの背中をおしてくれた。

今泉くんはいつもいっしょに走ってくれた。

金城さんは……、ぜったいにあきらめるなと言ってた!!


ああああああああああああああああああああ

今、このじょうきょうをなんとかできるのは、ボク一人しかいないんだ!!

坂道はサドルにまたがると、ペダルを思いっきりふみ始めた。

「今、追走グループ、91番と6番が山岳ラインを通過しましたーーーーーっ‼」

スピーカーからレース実況が流れた。

今泉と福富が通った山岳のリザルトラインを、すこしおくれて御堂筋と真波が通過した。

「すげ、あの二人、速えっ」

「これ先頭に追いつくぞ！」

ファンがあつくなっている。

そこへ「ゴールまであと六キロですっ‼」とアナウンスが流れた。

御堂筋はリラックスした顔で走行していた。

うしろを走る真波に向かって、

「さっき、『サカミチは――』って言うたのは、やっぱり『もしも』やったな。

やっぱし、だつらくしたわ。マァナミ、エースまで……もうすぐやよ？　ププ」
と話しかけた。

「ああ　あああああああ」
ぐるぐるぐるぐるぐるぐる

はりつく　はりつく　はりつく!!
坂道はこいだ。こぐしかない。足を回して、ペダルをこいで坂を登るしかなかった。
もうあれやこれや考えていてもしかたがない。

ヒメ、ヒ……メェエエエ!!

「今、もう一人、追走選手(ついそうせんしゅ)が山岳(さんがく)ラインを通過(つうか)しました。
ゼッケン176番、総北高校(そうほくこうこう)一年生小野田坂道選手です」

パニック・ラン

御堂筋が前、真波がうしろで、ぶっ飛ばす二台。御堂筋が声を出した。

「ほら見えたで、エース‼　青いジャージ、フクトミくぅんや‼　おったわ。エエか‼　先にフクトミくぅんにならんだほうが勝ちや‼　マァ……」

そこへズバっとはな先をこじ入れようと、二人の間に一台がわりこんできた。

「ナミ……」

ナミ…

サァカミチッ。
さっきコースアウトしたやろ！
キモォォォオオオ!!

また来た。ちぎりすてても、ちぎりすてても、またそこにいる、小野田坂道。
御堂筋と真波はおどろいた。

「あああああああああ」

坂道はさけびちらして、死にものぐるいでペダルをふんでいる。

「キモォォォオオオ!!　キモォォォオオオ!!」
今度は御堂筋がパニックになったかのように、ペダルを回した。
おばけからにげるときのようないきおいで。

はなれん‼
こいつ‼
はなれん‼

かまわん‼　このままフクトミクゥンにならべば、
マァナミをならばせなければ、ボクの勝ちや。
そうすれば、王者はつぶせる‼

「キィイモォォ‼」
と御堂筋（みどうすじ）のさけび声がひびいた。

「はりつく
はりつく
はりつく！」

じょうきょうがこんらんする中、真波は坂道を見ていた。

坂道くん――――

うつむいたまま、こいでいる。前を見ていない――――。

なぜだか真波はそこが気になった。

そして、わらいながら真波がさけんだ。

「ならんだ‼」

青、黄、むらさきが横一線にならんだ。

「うあ、ならんじゃった！」

と坂道が言った。

「いい‼　そのまま行って！」

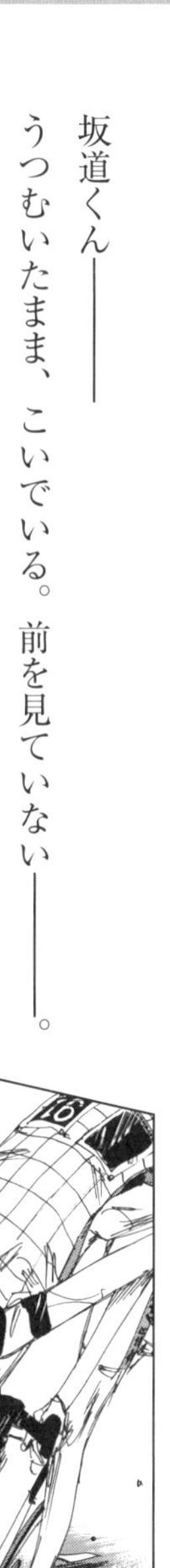

と真波(まなみ)がこたえた。

「はい‼」

ドン！

空気のかべをつきやぶるように、三台が進む。
真波は福富(ふくとみ)がふり向いたのがわかった。その向こうには先頭を行く今泉(いまいずみ)の背中(せなか)が見える。

ああ、勝負っていうのは、わからないほうがオモシロイ‼
とらえた、先頭‼
福富さん‼　今泉くんもいるね‼
御堂筋(みどうすじ)くん‼
この勝負は、先に福富さんにならんだほうが勝ちだよ‼

それぇぇぇ!!　一気に行く!!

真波がすこし前に出た。

「読みどおりやわ、マァナミ!!」

御堂筋が、わが意をえたりとばかり、うしろにつけた。

先にしかけた!!

ロードレースの勝負の決まりかたは、どんなときでも二通りしかない!!

先にしかけて、にげきるか、

うしろから動きを見て、ラストラインギリギリでさすか!!

キモキモキモキモキモキモキモキモキモ……キモ

ファンファーレのように声を出しながら進む御堂筋。すぐ前には真波。うしろには坂道。

「よっしゃ、ならんだ、残り数十センチ！　のびろォオ!!」

御堂筋がラストスパートのダッシュだ。

真波はそれをうけて、

「本当に勝負っていうのはおもしろいね!!」

とわらった。

坂道は

「『そのまま』って言ったけど、ならぶってこと!?」

と言った。

目をぎゅっとつぶって前を見てないから、御堂筋にぶつかりそうになった。

「サカミチィ!!」

「あああああああああああああああああ」
「それえええええ!!」
三台が福富（ふくとみ）に接近（せっきん）した。福富がふり返った。

真波が残ったか、御堂筋がさしたか、さらにそのうしろから坂道が追いこんだか。

きわどい。

「うぉぉおおおおおおおお、後続が追いついたぞ」
「速ええ!!」
沿道から大歓声があがった。

ハァ　ハァ　ハァ　ハァ　ハァ　ハァ　ハァ
ハァ　ハァ　ハァ　ハァ　ハァ　ハァ　ハァ

御堂筋、真波、坂道はかんぜんに息があがっている。
三人とも顔があがらない。地面を見つめて、かたで大きく息をしている。

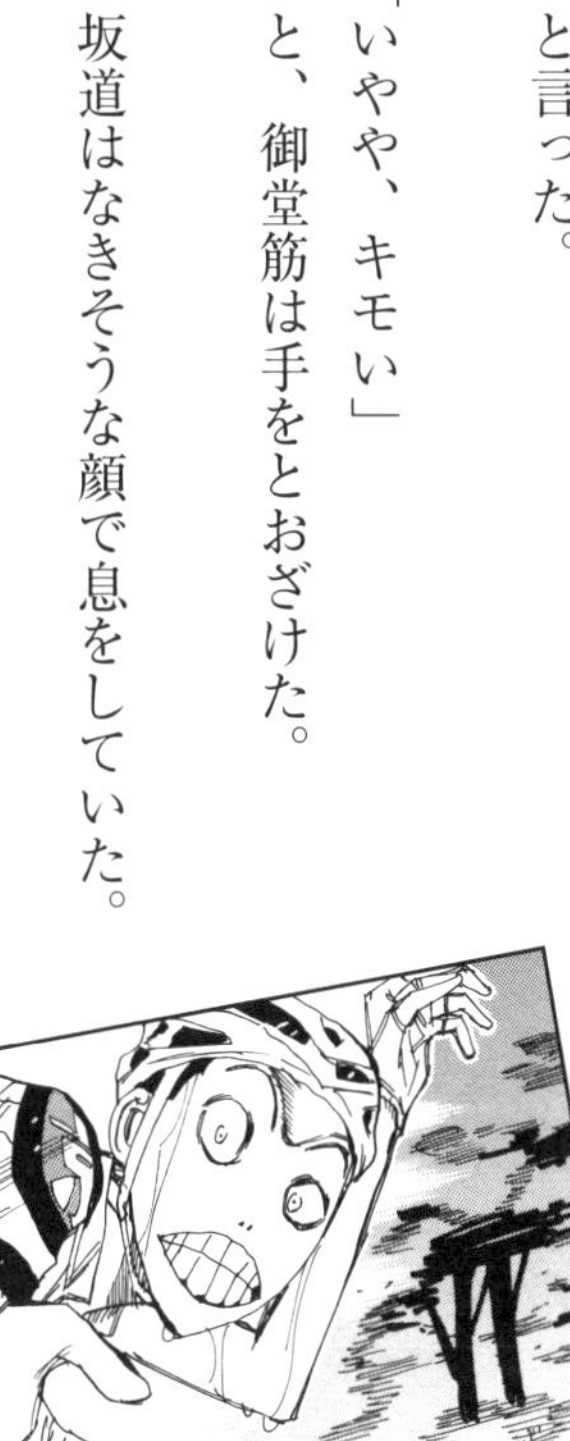

やがて、真波が
「ざんねんっ」

と言った。

それを合図にうつむいていた三人が顔をあげた。

「勝負は一線横ならび、ひきわけだ。ゴールラインまでおあずけだね!!」

御堂筋はげんなりしたようすだ。

真波が手を出すと、

「どう、あくしゅ？　いい勝負だったーー!!」

と言った。

「いやや、キモい」

と、御堂筋は手をとおざけた。

坂道はなきそうな顔で息をしていた。

「坂道くん、キミとも」と真波が手をさし出した。
「え、あ……ああ　あ　ありがと」と
坂道は真波の手をにぎり返した。
「う、うわ、なんかこれ、てれるね。
ていうかボクは勝負とかそういう感じ
じゃなかったけど、ご、ごめん」
と、坂道は急いでしゃべった。

真波は
「いやあ、キミは追いついてきたんだよ……それのあくしゅだ」
と言って、坂道をジッと見た。
「この最後のステージまで、えらばれたものしか来れないこの場
所へ、キミは闘い、ボクらはならんだ」

そのあとのことばはのみこんだ。そのとき、真波は坂道の実力をかみしめていた。

しかも、無自覚でだ――。

もしそこに、〝勝つ〟という意思があったら――どうなっていたか。

真波は、坂道に、

「キミは十分にしかくがある。残り五キロ、闘おう。さいごのゴールだ」

と言った。

再会

「最終ゴールまでのこり六キロを切って、追走の三人が追いついた。先頭集団は五人になったぞ！」

観客がどなっている。

今年のインターハイは、レースのじゅんばんが目まぐるしく変わる。

今泉と福富の一騎打ちかと思っていたら、どうやらそうではなくなった。まだ読めない。

坂道は前を行く、黄色ジャージの今泉に近よった。

これだけは……言わなきゃ、これだけは。

「い……今泉くん……!!」

ひさしぶりに見る、ゼッケン175番に話しかけた。

今泉がゆっくりとふり返った。

「本当に……あの……ごめん」

今泉がふりかえった。

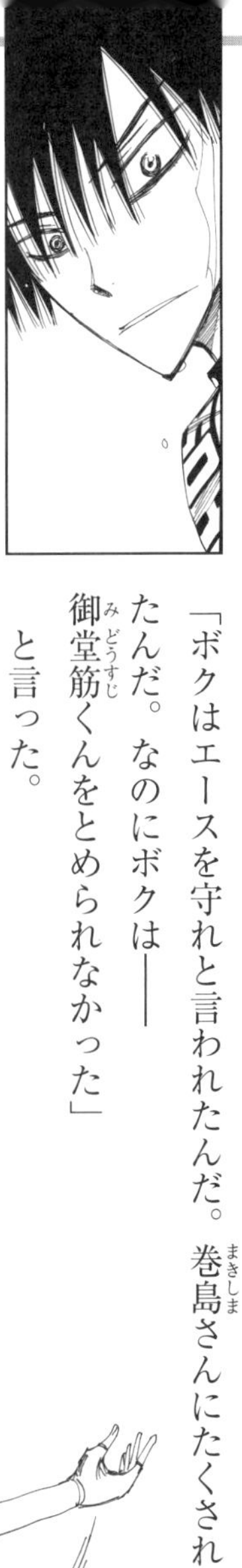

「ボクはエースを守れと言われたんだ。巻島さんにたくされたんだ。なのにボクは――御堂筋くんをとめられなかった」

と言った。

今泉はゆっくりと右手をあげて、

「あきれたぜ。おまえって男には」

と言った。そして、あげた手がさっと下がって、指が地面をさした。

「ここは先頭だ」

坂道はびくびくしながら、ごくりとつばをのんだ。

「インハイの……最終戦の、そこにおまえは後続から飛び出して登り、ほかのやつにおくれることなく追いついた。たった今。とんでもなくすげーことしてんのに、最初に言った言葉が『ごめん』かよ!!」

「え？」

坂道はしかられた気がして、ちょっとしょげた。

「そこは『どうだ、来てやったぜ、かんしゃしな』と、むねをはるくらいでちょうどいい。

あやまるところじゃねーんだよ、バカヤロウ」

今泉は、坂道の背中に手を回すと、

「よく来た。小野――いや、坂道‼」

と名字でなく下の名でよび、その手にぎゅっと力を入れた。

「い……今泉くん」

坂道はパーッとはれやかなきもちになった。

「しかし……まァ、オレはホントよく、
おまえに追いつかれるな。すげーよ、おまえ」

「あ、いや、それは……これはい、今泉くんの
ほうの力だと思う。引っぱる力があるんだ今泉くんに‼」

とまた早口でまくしたてた。

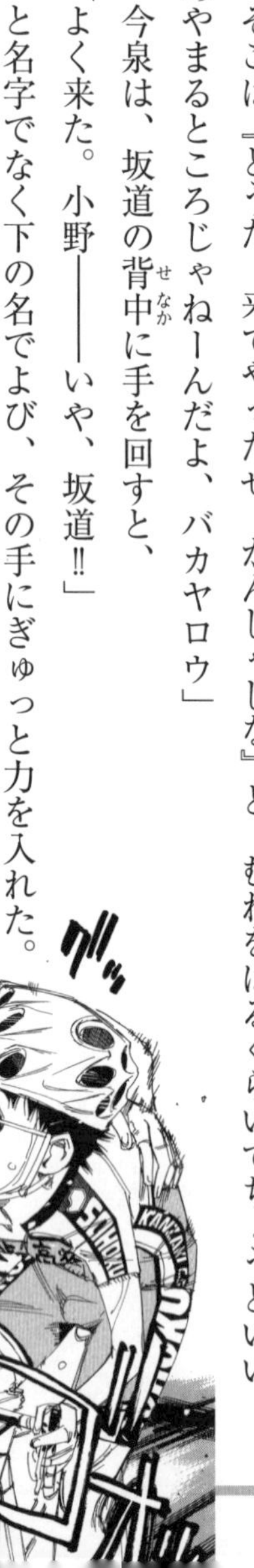

「そんな※人徳オレにはねーよ。けど、おまえが言うとソレっぽく聞こえるな」

「あ、あるよ、今泉くんは強いし、カッコイイし、やさしいし、気さくだし」

「気さくはねーだろ」

「あ、あと、友だち想いだし」

そのしゅんかん、二人同時に、鳴子のことを考えた。

「小野田」

「うん」

「行くぞ」

「うん‼」

「鳴子、おまえの夢、オレたちがゴールにとどけてやるぜ」

「うん‼」

※人徳…その人にそなわった品性や天性

そのときだった。ぼうそうする御堂筋(みどうすじ)の自転車が二人の横を通り
すぎようとした。
すると、パンとペダルをけり飛ばし、今泉(いまいずみ)が御堂筋の前に出た。
「どこへ行く、御堂筋!!」

え……？　……ん……？
今、御堂筋くんが飛び出して……、今泉くんが
それをいっしゅんでおさえた……のか。
速い!!

御堂筋は、サドルにしりをおろした。
「なんや……のんびり再会(さいかい)を楽しんどると思うたら」
とぶつぶつ言った、つぎのしゅんかん、目をズルウゥと開いて言った。

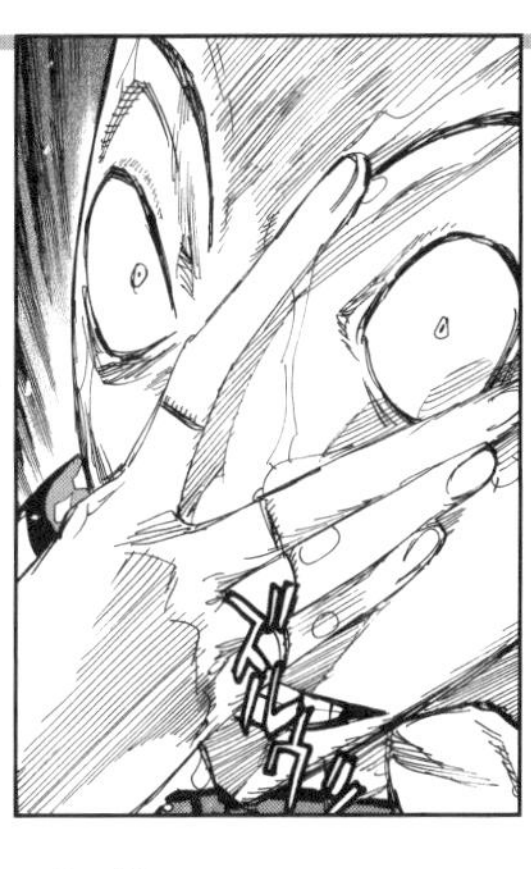

「この……キモ泉‼」

そして、今泉が言い放った。

「追走が追いついたり、集団にのまれたり、じょうきょうが落ち着くしゅんかんはアタックが決まりやすい――だから飛び出した――。意外にセオリーどおりだな、御堂筋」

今までの今泉くんとは、なんかふんいきがちがう……と坂道は思った。

「オレがサイクリングでもたのしんでるとでも思ったか……キモー筋」

と今泉が言った。

御堂筋は、ビキンとショックを受けている。

「お、91番、アタックをおさえられて、いったん下がるぞ」

と観客が言った。

先頭五台は、今泉、坂道、御堂筋、そのあとを福富、真波が位置している。

坂道はそっと話しかけた。

「今泉くん。ボクは……この先、なにをすればいい？　役割は……？
今泉くんのアシストって……」

坂道は不安がこみあげて、また早口になった。

「……あの、ボクは巻島さんに二人でジャージをゴールにとどけてこいって言われたんだ」

「その言葉どおりだ、小野田。オレたちが持っている二枚のジャージ、どちらかをゴールにとどければいい」

え！

坂道の心臓がドクンとした。

そうぞうしていたのとちがう話になって、

坂道はふしぎな気持ちになった。

「ゴール前に平らなところのない頂上ゴールの登りステージでは、いわゆるアシストの〝発射台〟ってヤツは役に立たないんだ。登りは『個』の強さの勝負になる。足の強さ、精神力、ひらめき、じょうきょうはんだん……。全員が出し切って、そいつがほかのヤツよりすこしでも上回ったものが勝つ。

総北にはそのジャージが今、二枚ある。

おまえもゴールをとれ、坂道」


――ボクが。

「てきはハコガクだ。御堂筋だ。この先、ゴールに向けて、闘いは激化する。そのこんらんの中で自分にチャンスがあると思ったら、飛び出せ。ゴールをえぐりとれ。オレたちの!!　全力をつくすぞ!!」

「うん!!!　わかった!!!」

いくぞ、この道のはてのゴールに!!

御堂筋はいったん下がり、こしのポケットから補給食を取り出して、むしゃむしゃと食べ始めた。

真波は坂道のことを思い返していた。

坂道くんは先頭に追いついて、今泉って人に会って、目ざめちゃったみたいだね。

勝つという意識に……。

すると箱根学園のエース福富がよんだ。

「真波……!!　単刀直入にきこう。いきなりあらわれた、あの176番はなんだ。オレは先頭集団に加わってくるとは思わなかった。どうだ?」

真波は、走ってみた感触をつたえる。

「――ええ、きけんですよ」

第二章 決着！ 今泉（いまいずみ）vs 御堂筋（みどうすじ）

御堂筋の技

ぼりぼりぼり　ガツガツガツ

御堂筋は、補給食をむさぼっていた。

ここまで一気に坂を登り、先頭集団に追いついて、息をつく間がなかった。

それにしても、食べかたがはげしい。いかりながら食べている。

「キモー筋……と言うた。ハァ？　自分のことをたなに上げて。ボクをキモー筋？」

とぶつぶつと言っている。

口からぼろぼろこぼれだすのもかまわず、

「キモ泉イイイ‼」

と、どなった。

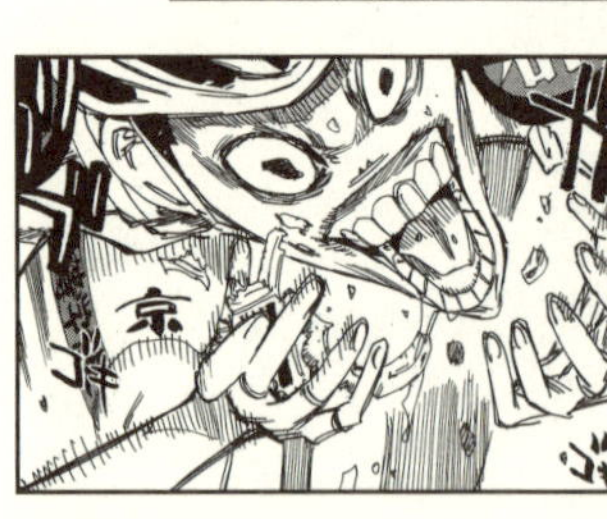

今泉と坂道がふり返ってこっちを見た。

「ニラんどるのか……このボクを!!　教えたるわ、おまえの本当のすがた……。自分がどれくらいキモいか。身をもってボクが教えたるよ？　ヒヨコがどんだけ努力しても空は飛べんということを！　ピヨ泉!!!」

そう言うやいなや、御堂筋は手についた食べかすをはらうとハンドルをにぎり直し、ペダルをふみ始めた。エネルギー補給が終わったのだ。

黄色いジャージの二台の間をわってとっしんし、今泉に頭突きしようとした。

「うわ」

声をあげたのは坂道だ。今泉は体をかがめて、れいせいにやりすごすと、パンとスパートして、また御堂筋からきょりをとった。

すると、

「反対がわ、ガラあきや‼」

と走行ラインを切りかえて、今泉の反対がわから御堂筋がのびてきた。

「キモ、キモキモキモキモキモキモキモ～!!!」

奇声を発しながら、スピードを上げる。

坂道は、

「え、右がわをあけさせるために、わざと今泉くんに体をあてたのか？」

とおどろいた。

「キィ……モルァ！　このままゴール、とったるわ‼」

御堂筋は、先頭におどり出た。

ところが、

「言っただろ御堂筋、行かせないんだよ、おまえは!!」

と今泉はれいせいにポンとペダルをふみ、御堂筋を追いこすと、スッと走行ラインのまん前に自分の自転車を配した。前をふさいで御堂筋を行かせなかった。

今泉はいまや、トップライダーのかんろくを身につけていた。

「ヒィ」と御堂筋は目をむいた。このままじゃ、自分の自転車が今泉につっこんでしまうと、あわてて減速した。

今泉は、

「やってみろ、何度でも。そのたびにすべて、とめてやる!!」

「な～‼　それが友情の力というやつか!!!」
すてぜりふといっしょに、御堂筋はまたしてもいったん自転車を下げた。
「へぇー、二人そろったら、士気が高まって、力もましたというんか。ジャージが二枚になって、パワーは四倍というやつか‼」

今泉のとなりに坂道がならんだのを見はからって、御堂筋はまた走行ラインをかえる。

「ブ」

「タ‼」

と悪態をつくと、今度は坂道とコースわきのせまいところをこじあけようとしてきた。

「う‼」と、坂道はおどろいた。

「今度は左からやっ。おまえら黄色いヒヨコかと思ったら、むれんとなにもできんブタやった。行かせへんて？　ブー。ええやろ、ブー。行ったるわ、ブゥウウウウウ！」

今泉と坂道をまとめてぬこうとする御堂筋。

「行かせないって、言ってんだよ!!」

と今泉が前に出ようとしたとき、御堂筋が自分のハンドルを坂道のハンドルに
ぶつけた。

コン

バランスをくずした坂道は、そのまま外に
ふくらんで今泉にぶつかりそうになった。

「しまった、うわっ、ごめん、今泉くん!!」

その間に、御堂筋はゆうゆうと前に出た。

なんだと？　坂道をたてにして前に!!!

御堂筋は、
「キミ一人やったらとめられたんやないの？　ブタ泉クン、いいかげんに気づいたらどうや、ロードレースにいちばんいらんものが友情やよ⁉」
と言うと、長いしたをペローンととくいげに出した。
坂道を使って今泉をぬく。頭脳プレイといえばそうだが、落車ギリギリのきけんな技だ。

「ごめん、今泉くん」
坂道はまだあやまっている。
「なかまなんかせおっとるから、そうなるんよ……はよ、すてたほうがええよ、そんなもん。ブッ……ブタ泉クン？」
そう言うと、御堂筋はニターッとわらい、前をさえぎるものがなくなった道をゆうゆうとアタックした。御堂筋のラインにはもうだれもいない。あいている。

「キイモァアアアアアア！」

奇声をあげながら、どんどんと飛ばしていく。

沿道からは、

「京都伏見91番、後続から追いあげて、ついにレースの先頭に立ったぞ!!」

と声が飛んだ。

「※こうばいが二十パーセント以上ある富士山の急斜面を、ものともしないで登っていくぞ」

「続いて、総北……さらにはなれてハコガクだ!!」

「ハコガクがいちばんうしろだ!!」

「おい、今年のインターハイ、このまま京都伏見が優勝とっちまうんじゃねーか？」

と観客がボソリとつぶやいた。

「チョーおおばんくるわせじゃねーのか？」

※こうばい…水平に対してのかたむき

一人だったらぬかれない

ついに守り続けたトップをうばい取られた今泉は、はらの中がにえくりかえっていた。

計算してたってことか、御堂筋は……。
坂道にハンドルをあてて追いぬいたあのカーブのすぐあとに、このかべのような登りがあることを!!
斜度のキツイ上り坂では、よほどの実力差がないかぎり、追いぬくことはできない!!

御堂筋のすごみはよくわかってはいるものの、またしてもやられた。

コースがかんぺきに頭に入り、カーブや斜度の変化をうまく利用してしかけてくる。これぞレースのエキスパートだ。

ぬかせない気か。このオレに!!
させねーよ……。
ゴールはだれにもゆずんねーんだよ!!

「おおおおおおおおおおおおおおお！」

今泉は火がついたかのようにペダルをふみ始めた。

あまりの鬼神(きしん)っぷりに、坂道は「今泉くん」と声をかけた。
坂道は自分のせいでぬかれたと思い、心細くなっていた。

「心配すんな。気にしなくていい、取り返す。オレが!!
だからぜったいについてこい!!」

「うん！」

今泉の心臓が全身に強く血液を送る。足がペダルをける。坂道はうしろにはりついていく。

ハァ　ハァ　ハァ　ハァ　ハァ　ハァ　ハァ

ハァ　ハァ　ハァ　ハァ　ハァ　ハァ　ハァ

御堂筋をこのままにがすわけにはいかない。二人の息があがり始めたころ、

「見ろ、先頭の京伏にじわじわ追いついてるぞ、総北。この坂で!!」と、沿道から声が聞こえ始めた。

どけぇぇ!!

どけよ、御堂筋!!

今泉は、今、このレースでいちばんともいえる力をしぼり出している。
ギュッギュッギュとタイヤのゴムがアスファルトをつかむ。むりだと思われた上り坂での接近。少しずつ、また少しずつ、御堂筋のしりが近づいてくる。

「まさか、追いぬく気か？　あの総北の175番」
「この激坂でか？」
観客が今泉の走りにおどろいている。

一気にはなしきれないとわかった御堂筋が「しつこいなァ」としびれを切らしたように顔を上げた。
「休めばええやん、もう。あのときみたいに、ペダルをとめて、足をゆるめて」

その言葉で、御堂筋も今泉も同じ情景を思いうかべた。

二人の因縁が始まった、御堂筋の〝あの〟インチキ。

それは中学生のとある※レースで、先頭の今泉をぬきたかった御堂筋が、レース中に今泉に「おまえのお母さんが事故にあった」とうそをついた。そのせいで今泉はペダルから力がぬけて、優勝は御堂筋へところがったのだ。

今泉は、はげしく呼吸しながらも、御堂筋をにらみつけた。

御堂筋は、

「フクゥトミくんをォ、クタクタにさせたのはキミやろ。そらスゴイわ」

と言った。二台の差は、もう会話ができるくらいのきょりにまでちぢまっていた。

「けど……ボクにはと・ど・か・ん・よ!?」

御堂筋が自信まんまんの顔でわらった。それを見て、坂道は息がとまりそうだった。

※とあるレース…小説版第５巻参照

ハァ　ハァ　ハァ　ハァ　ハァ　ハァ　ハァ
ハァ　ハァ　ハァ　ハァ　ハァ　ハァ　ハァ

総北の二人は息を整えようとした。

今泉が、

「はで好きでまっ赤なヤロウに『やるときゃトコトンはでにやって、限界まで走れ』って教わったんだ。地味なメガネの男には、『かべができたらとっぱするだけだ』って教わった」

と言った。

「そいつはな、かべばっかの男さ。ちょっと走りゃあ、すぐかべの。けど、そのことごとくを、一枚一枚なやみながら、苦しみながら、全部ぶちやぶってきたんだ。オレの目の前でだ‼　教わったのさ……オレは、そんなバカげた、すげえヤツらがいなかったら、ここに立っていない‼」

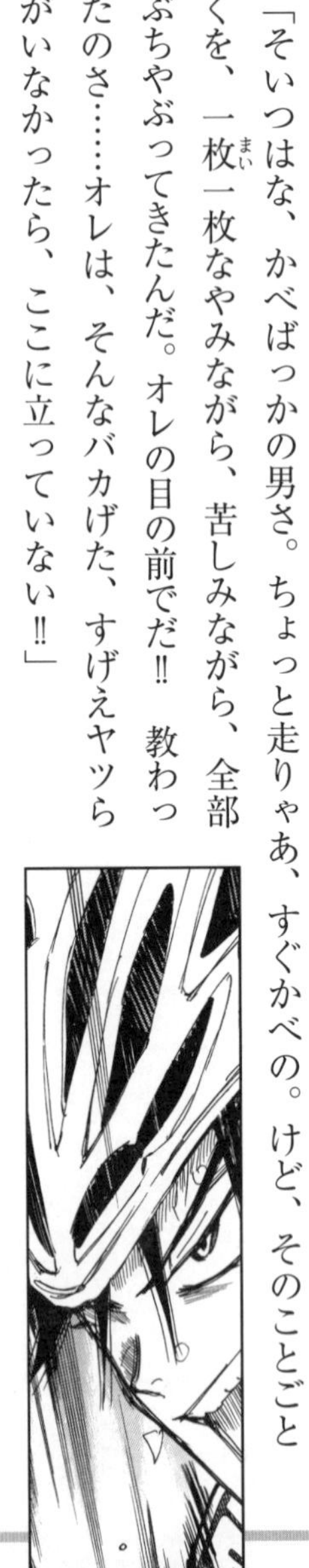

今泉が続けて言った。

御堂筋はあせを流しながら、歯をかみしめた。

今泉はなおも言う。

「それがさっきおまえがした質問、『一人だったらぬかれなかったんじゃないか?』って。

その問いの答えだ!! 御堂筋!!」

ハァ ハァ ハァ ハァ ハァ ハァ ハァ
ハァ ハァ ハァ ハァ ハァ ハァ ハァ

「はぁ? なにを言うとるの?」

御堂筋がきょうみを示して、こちらをふり向いた。

「それって友情の話? 友情でゴールを取れるんやったら、全員一位やろ!!」

と言った。

御堂筋はペダルをけった。引きはなしにかかる。

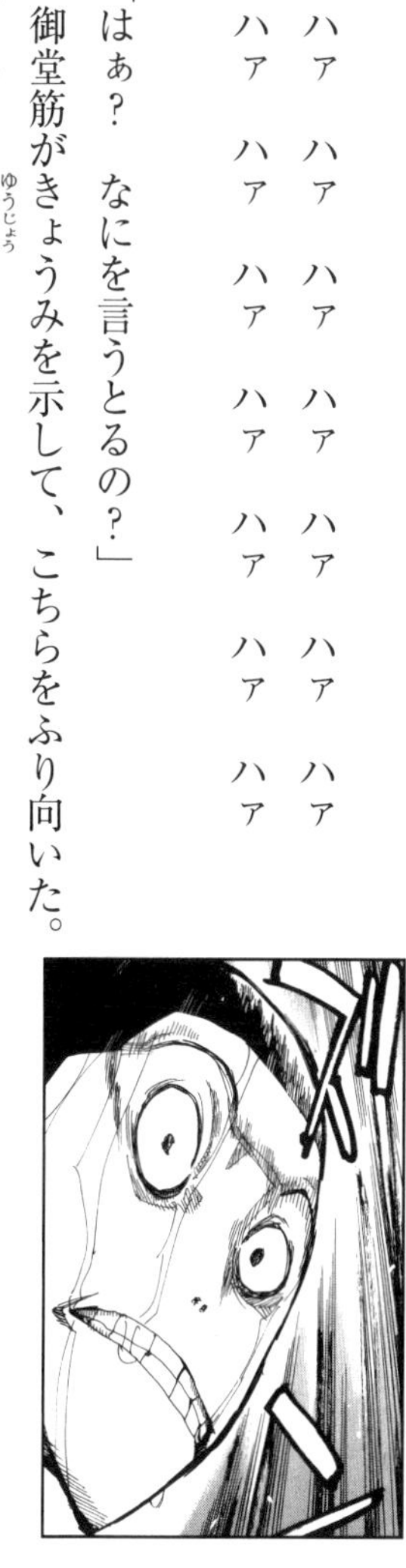

「そんなに友情がだいじやったら、手ぇつないでゴールせや!!」

すてぜりふをはいて飛ばす。


一人や!!

勝利すんのはたった一人!!

それがロードレースの真実や!!


「らぁーーーーーーーーーーー!!」

自分に気合を入れるおたけびをあげた。

今泉はぶつぶつ言っていた。
「つないだ手をかかげてゴールする……赤い髪のヤロウがえがいた夢は実現できなかった。
けど、そいつは力になるんだ。つみ重なった〝想い〟ってのは、
こういうときに背中をおすんだよ!!」

今泉は、鳴子に背中をおされているような
さっかくを起こしていた。

下ハンドルをにぎり直すと、

「おるあああああああ、鳴子ぉォォ!!」

と無念のリタイアをした友の名をさけんだ。


今泉のスパート。

坂道はおいていかれた。今泉がもうぜんと
ダッシュして、御堂筋にならぶのが見えた。

「総北が、京伏を一気にぬき返したァ!!!」

観客が大さわぎだ。

今泉が前、御堂筋がうしろ。鳴子の力を借りたのか、またしても、今泉がトップに出た。

ハァッ　ハァッ　ハァッ　ハァッ　ハァッ　ハァッ　ハァッ

四千三百……四千二百……ゴールまで残り四千百メートル!!

近い!!　近づいている!!!

あと「十五分」――。

十五分もしないうちに見えてくる、

ゴールゲートが!!!

「うおおおおおおおおおお」

と今泉はほえた。

そこまで御堂筋をおさえきれば、総北の勝利だ!!

超絶接近戦

「ブタ泉イイーー!!」

「モアアアアアアア!!!」

御堂筋は奇声をあげる。先をゆずったとはいえ、今泉のまうしろにはりついている。

坂道は、

ハァ　ハァ　ハァ　ハァ　ハァ

二人においていかれそうになる。

「速い!!!　今泉くん、この激坂で御堂筋くんをぬき返して、さらにおさえている!!」

カナカナカナカナ

セミがなく。標高が上がって、すずしさがましてくる。夏だというのに、富士山の中腹では秋のセミが鳴いている。きせつが変わるほど坂を登ってきた。

林の中を、今泉がつっぱしる。

「うおおおお、残り三千七百ーーーーーー!!!」

「待てやーーーーー!!!」

御堂筋が、しゅうねんで追う。

ブタ泉―――ボクをぬいた―――ブタ泉―――!!

御堂筋は、坂を登りながら手ばなし運転をして、器用にジャージのそでをまくって、かたにかけた。パンツのすそもめくって、太ももを出した。ヒートアップする体をひやし、

いったん心をしずめるかのように。
ブタ泉、この三日間で、成長したというんか？
だから、ボクをぬき返せたんか。
ええやろ、そういうこともある。
けど、
ボクには〝勝利〟、それ以外、なんのきょうみもない。
前へ前へ進むんや‼

そうつぶやくと、今度は今泉に聞こえるような声でこう言った。

「ええやろ、見せたるわ、ボクの真のすがたを。キミにはここで——オチてもらうから‼」

じゅんびばんたん整ったとばかり、御堂筋はうでも足もむきだしにして、その巨体を今まで以上に自転車の前にのり出した。いつにもまして異様なフォームがあらわれた。

解放！
すべての力、解放や!!
「ああ！」と思わず坂道はさけんだ。
「さらにぜんけいしている。地面に顔が
つきそうだ！」

チッ
と今泉はした打ちした。

「勝利　勝利　勝利
勝利　勝利　勝利」

御堂筋はじゅもんのようにつぶやいた。

「うおおおおお」

それをふき飛ばすように今泉がほえた。

御堂筋はえものをとらえるよろこびを感じる、もうじゅうのような顔つきになった。

一人言をぶつぶつと言いながら、飛ばす。

「長い登坂は、メンタルが最後をささえる。
気持ちが強いヤツが勝つんや。
心がおれたら、足はとまる。
追いぬいて、背中を見せて
たった五メートル引きはなせば、
人は敗北を感じる!!

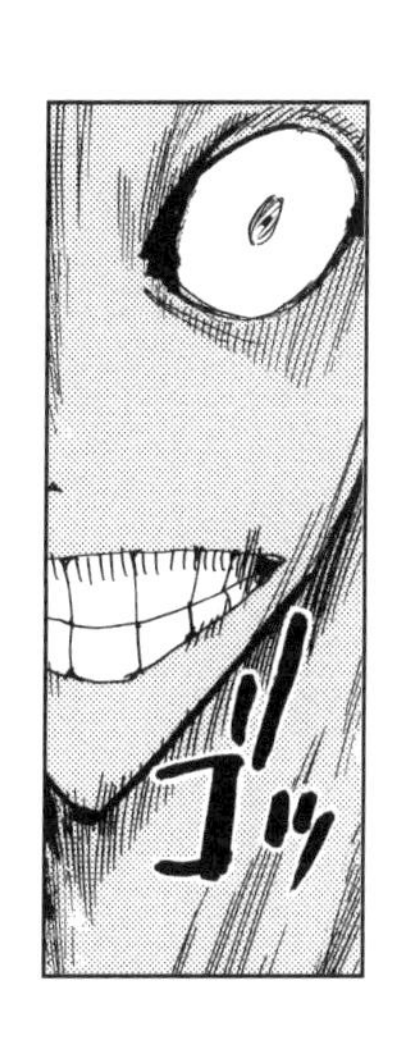

敗北を感じればズルズルと勝手に落ちていく。
体があきらめる‼
しかもこのじょうきょう、きんにくのひろうはピークや。
五メートル！
ここでオトしたるわブタ泉‼
おまえを地の底まで。
おれろ　おれろ　おれろ
おれろ‼
おれろォーーー」
フォーム変形した御堂筋が前に出た。今泉をぬいた。

「おおおおおおお！

引きはなすつもりかよ‼」

と今泉がさけんだ。

「おれろォォーー‼」

ひじをはり出して、前に行かせない御堂筋。

ひっしについていく今泉。だが、

「おれろォォ」

御堂筋がさらに一気のスパート。

「今泉くん!!!」

思わずさけぶ坂道。

頭を下げてうつむく今泉。

「ど……け……どけよ、
先頭は、オレが走るんだよ!!!」

顔を上げた今泉が気力でぬき返す。

「せ!!」

と御堂筋が思わず
声をあげた。

「せやから、おれろ、言うとるやろ‼」

首で今泉の体をおそうとした。二台の自転車はもつれるようにならんでいる。

ガン　ガン　ガン

と三度ほど、音が聞こえてきた。

「なんだ？」

観客がおどろいている。

「二台の自転車同士がぶつかってるぞ」

「今、なんか落ちたぞ」

「血？」

「あせ？」

「近すぎるだろ！」

ドァッ‼　ギャァアア‼
ガン　ガン　ガン

「おれろォォォオ‼」
「どけぇぇぇえ‼」

二つの声が聞こえてくる超絶接近戦だ。

「なんだ、すげぇな、あの二人‼」
「でも……あんな速度でつっこんでだいじょうぶか……」
「この先は、あざみラインゆいいつの大下りだ‼」

下って、登る。富士山頂へ向かってのびるあざみラインにある、たった一つの下りがこの先にある。もちろん、御堂筋の頭にはそのことが入っているのだ。

知るかよ。
と今泉（いまいずみ）は思った。

「すべって落車したらひとたまりもない。スピードにのった下りはリスキーだ。そこでの勝負か⁉」
と心配そうに客がしゃべっている。下りはリスクが高い。体重とスピードがのるぶん、すなを少しひろっただけでもバランスをくずして自転車があばれだす。

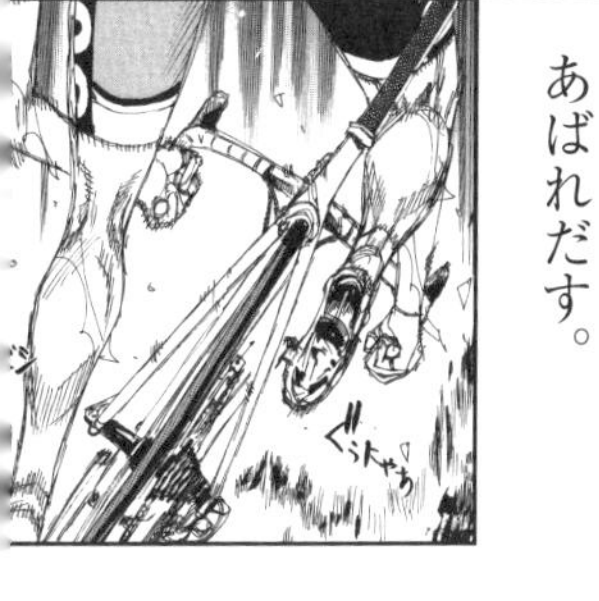

けど、リスクの中でなにかしねぇヤツには、ぜったいに勝ちはない。
わかってんだろ、おまえも、御堂筋！
ギリッギリで前に出ようとする闘いなんだ、下りは‼

この場所で、じんどっていた客は大あたりだ。

総北の今泉、京都伏見の御堂筋、インターハイ最終日のトップ争い、それも両者がぶつかり合いながら坂を落ちてくるところを間近で見られるのだから。

「来たぞ」

「いっしゅんかわして、総北が前に出た‼」

下り坂なのに両者ともにダンシングだ。頭からならく※の底につっこんでいきそうないきおいで坂を下っていく。ギアはいちばん重く。そして、ふみまくっている。

今泉が前、自転車半分ほどの差で御堂筋が続く。

御堂筋はドスッ、ドスッ、と自分の頭で今泉のしりをつき始めた。

「ぁあ?」

「おれろ、オレロ、おれろ」

※ならくの底に…じごくの底

ぶつぶつじゅもんをとなえながら、今泉(いまいずみ)のしりを頭突(ずつ)きしてくる。ダンシングで超高速(ちょうこうそく)で坂をすべりおりながら。

「いいぜ!!　よゆうあんじゃねーか。来いよ、御堂筋(みどうすじ)!!」

と今泉は、歯をイーッとしてわらってやった。

御堂筋はパカァッと歯をあけた。

「リスク上等(じょうとう)!!　行くぜ!!　この百八十度カーブで勝負だ!!」

と今泉は前を見すえた。

今泉がアウトで前、御堂筋がインでうしろ。二台の自転車がもつれるように急コーナーに入っていく。

今度は御堂筋がラインを外にとって、今泉の外からかぶせていった。

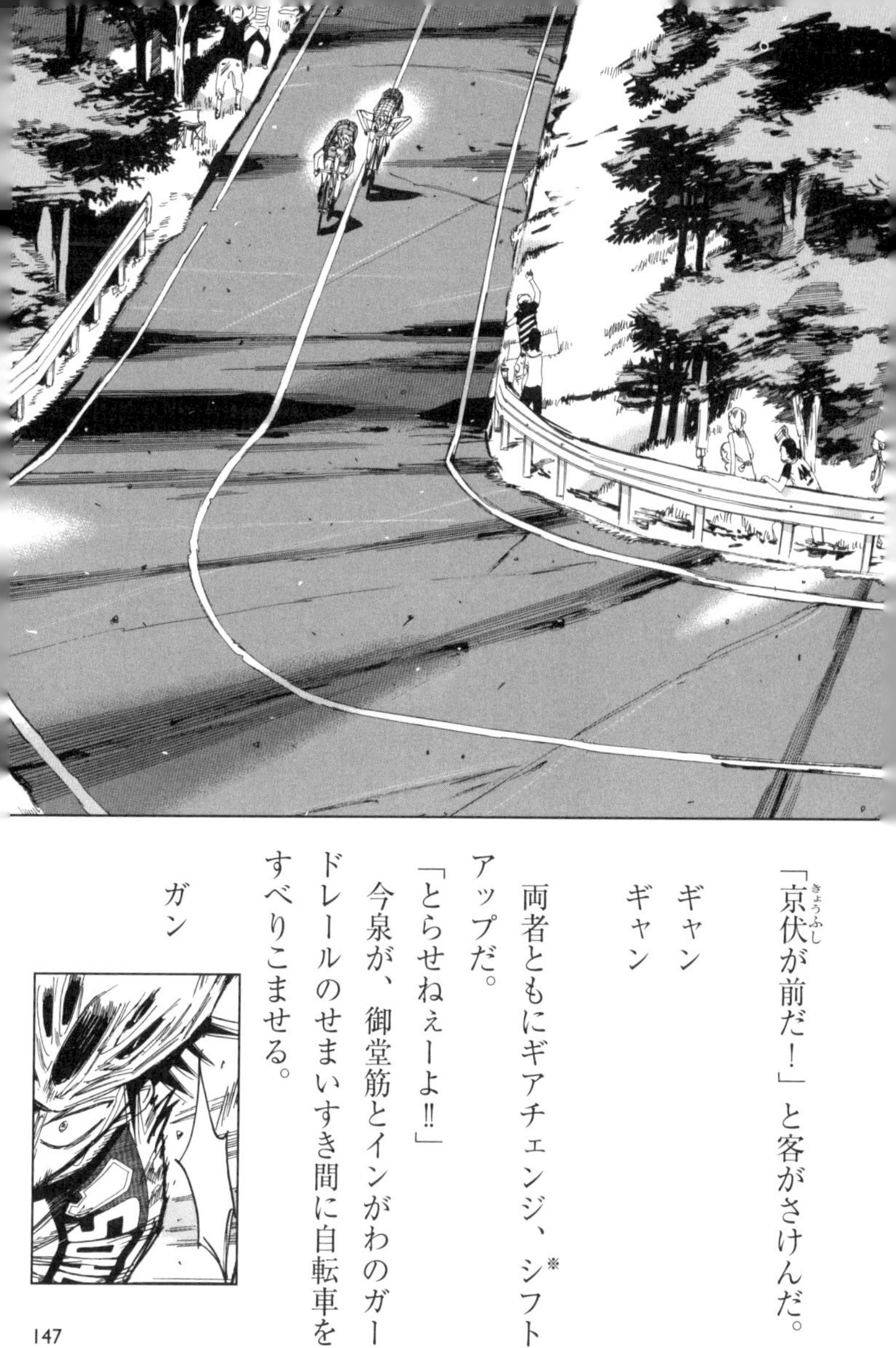

「京伏(きょうふし)が前だ!」と客がさけんだ。

ギャン
ギャン

両者ともにギアチェンジ、シフト※アップだ。

「とらせねぇーよ!!」
今泉が、御堂筋とインがわのガードレールのせまいすき間に自転車をすべりこませる。

ガン

※シフトアップ…重いギアに変速(へんそく)すること

「今、総北、かたがガードレールにあたったろ！」

観客が思わずあつくなる。

「おおおお!!」

今泉がほえる。

御堂筋は、せっしょくして二人いっしょにたおれないようにしながらコーナーをまがりこんでいく。

「あーー、うそォ！」

「インがわ、めいっぱい使って、今度は総北が前に出た!!」

「らあああああ」と御堂筋。

「京伏もふんだぞ!!」

ガン

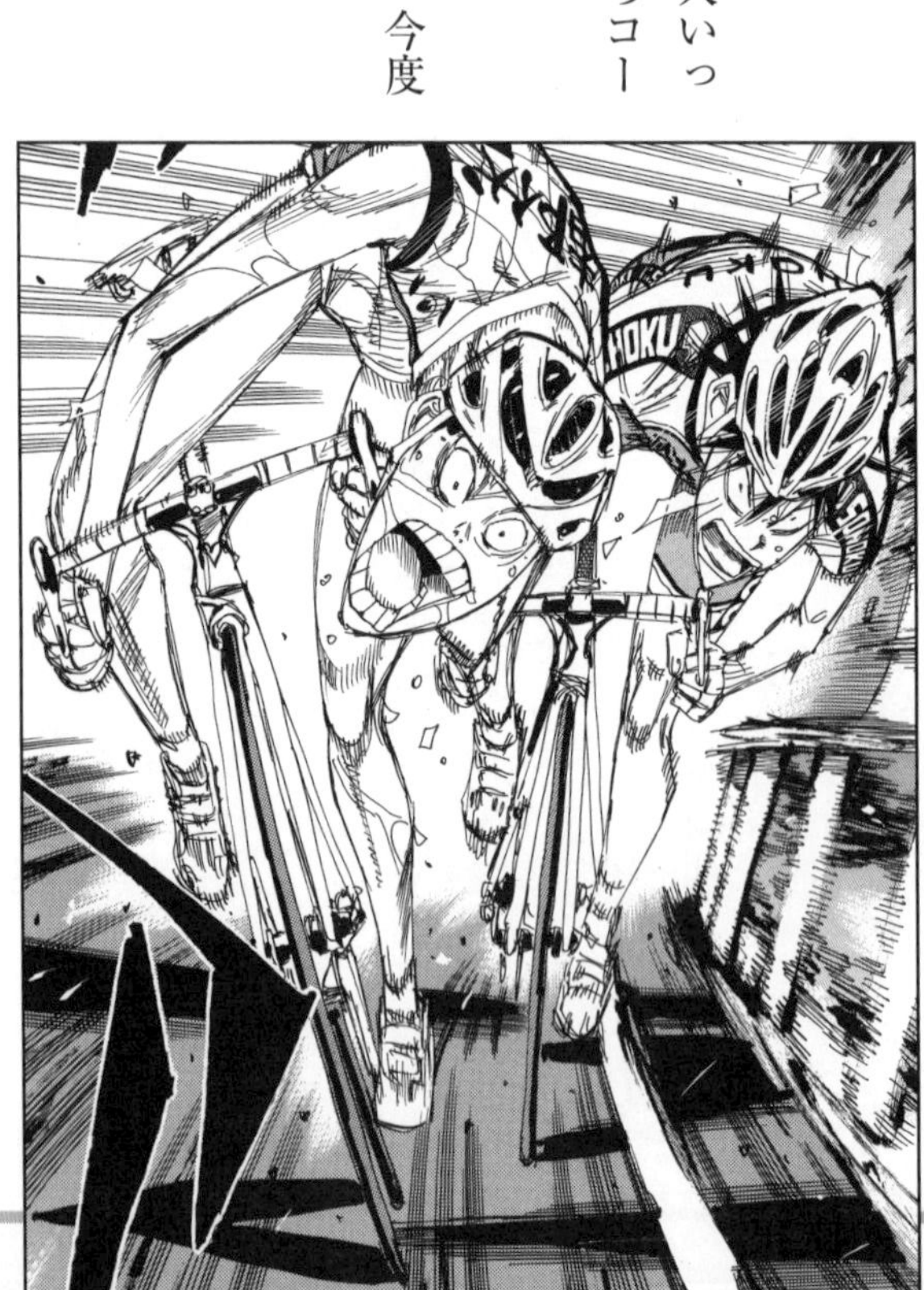

「あーーーーーーーーーー!!」

御堂筋の自転車が、ズルッとななめになった。

「あぶないっ!!!」

御堂筋の後輪がういた。

落車かと思ったしゅんかん、
御堂筋は立て直した。

テンテンテン

と三度ほど後輪がアスファルトにバウンドした。

「みぞブタですべったんだ！　京伏、むりやり力技で立て直したぞ!!　91番すげえ！」

「真横にかたむいたぞ!!!」

「つぎは右カーブだ。今度はヤバいぞ!!」

前を走る今泉（いまいずみ）には、ゴォォオオオという風切り音しか聞こえない。空気をつきやぶって、右コーナーに入っていく。

「ボクが——」

「オレが——」

二人は同時に

「この下りは自分がせいする！」

とさけんでコーナーにつっこんだ。

二台の自転車はななめだ。分度器でいうと六十度くらいかたむいて、前に進んでいく。

御堂筋（みどうすじ）は、目をつり上げている。

ボクゥがこのままァ
先行をゆるすと思うたか!!

「おれろォォォ!!」

またもや今泉のしりを頭突(ずっ)きした。

「ゆずんねーんだよ、御堂筋!!」

残り三千三百。それでゴール。
それまで、オレが先頭で走りきってやんだよ!!
限界(げんかい)までふんでやるよ!!!　限界……まで!!

パキッ

富士山あざみライン五合目駐車場、ゴール付近

「ただ今～、先頭の選手は～、残り四キロ地点を通過していま～す～」

レース速報がアナウンスされた。ちょっとのんびりしたスピーカーの声だ。


ここは今年のインターハイのゴールライン、富士山五合目、須走の駐車場だ。ゴールシーンを見ようと、ピストン輸送のバスから客がつぎつぎとおりてくる。

下界とはちがって、ひしょ地のようなすずやかさ、高原の気持ちよさ。標高が二千四百メートルともなると、夏とはいえ、長そでがほしいくらいだ。


そこへもじゃもじゃパーマのごふじんが一人、バスからおりてきた。

「やっぱり……夏の富士山ね。大人気だわ」とぽつりと言った。

小野田坂道の母である。

「山頂行きのバスに乗ったんだけど、みんなどこに行ったのかしら。いないわね」

ふじん会の旅行で富士山にきたのだが、一人だけバスを乗りまちがえたのだった。

「一度、下山してたしかめたほうがいいわね。帰りのバスはどこかしら」

あたりをキョロキョロと見回している。坂道の母は、

「あの～、さっきバスでアメをあげた者ですけど」

とメガネの女子高校生に声をかけた。そこにいたのは箱根学園の宮原すずこだった。真波のレースをかげながら、いつもおうえんしていた〝委員長〟である。真波のゴールシーンを見ようと、バスで登ってきたのだった。

「下りのバスはどこ⁉ あなた、ごぞんじ? アメ、食べる?」

急におばさんにしゃべりかけられ、アメをわたされて、すずこはまごまごした。

「えっ。たしかあの表彰式のあとで……となっていますので十六時ごろ?」

手に持っていたインターハイロードレースのパンフレットをめくってしらべた。

「ゴールって……こんな山の中で……サッカーするんだ」

「いえ、自転車の選手がレースで走ってくるんです。わたしの高校のクラスメイトの、箱根学園の真波山岳くんって選手が。いつも乗ってる自転車を、たまには見てあげようかなって。ぐうぜん？　たまたま？　富士山を見たくなった……から、まァついでに？」

「やっぱり好きなのね」とおばさんが言ったから、好きなことがばれたとおもったすずこは、かあっと顔が赤くなったが、

「……富士山のこと」と言ったので、ずっこけそうになった。気を取り直して

「あ、あのう、今日は、富士五湖の西の本栖湖を朝に出発して、この富士山を登ってくるレースみたいです。自転車で……」

　そこでおばさんはぱたっととまって、すずこを見た。

「自転車で？　ちょっとあなた、なに言ってるの？　自転車でこんなところに来れるわけないじゃない。何キロあるの？　車でも大変よ？　え？　レース？」

「サイクルロードレースというらしいです。すごい速度で走るんですよ。昨日、走行中の真波くんにおにぎりをわたそうと思ってきたんですけど、すごく速くて……わたせなかったんです。もうしばらくしたら選手が来るみたいなので、いっしょに見ますか？」

「好きなのね、ふふ」

「え、富士山ですか？」

「ううん、その真波山岳って子のこと」

「はにゃーーーッ」

すずこはまた、みるみるうちに赤くなった。

「たんなる、おさななじみですよ‼　あいつはいつもいねむりばかりです」

「おばさん、こいバナもけっこういける口よ。勉強を教えてあげようとしても、その自転車とやらであと回しにされて、わたしのキモチが伝わらないいじゃない、もーって、そんな感じ？」

すげーーー、あたってる！　とすずこはおどろいた。

「わたしにも高一になる息子がいるのよ。うちのも自転車に乗っているの。むかしは本当

によくアキバまで自転車で行ったのよ。人の輪に入るのがにがてな子でね。今、学校のクラブでなにか集まってやってるみたいだけど……アニメ部って言ったかな？……根は明るいのよ。人の気持ちになれる子だから。でも、やさしすぎるのが玉にキズかなあ」

すずこはよくしゃべるおばさんの横顔を見つめた。

「大きな……、なにか、みなさまの役に立つような、大きな役割をまかされるといいのよね。男の子って、そういうときに成長するものでしょう？」

バキン（御堂筋の回想）

あーーーーーー、速い、速い、下りはこわい！
けどついていくんだ。
息があがっても。
足がつっても。
それがボクの役割なんだ。

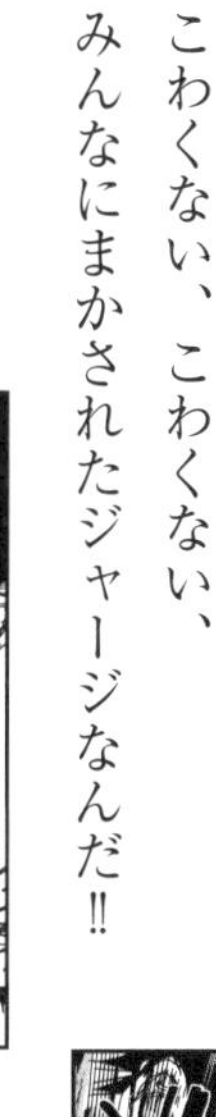

こわくない、こわくない、
みんなにまかされたジャージなんだ!!

そんなとき――
バキィン
なんの音だ……！
なにかがおれた。

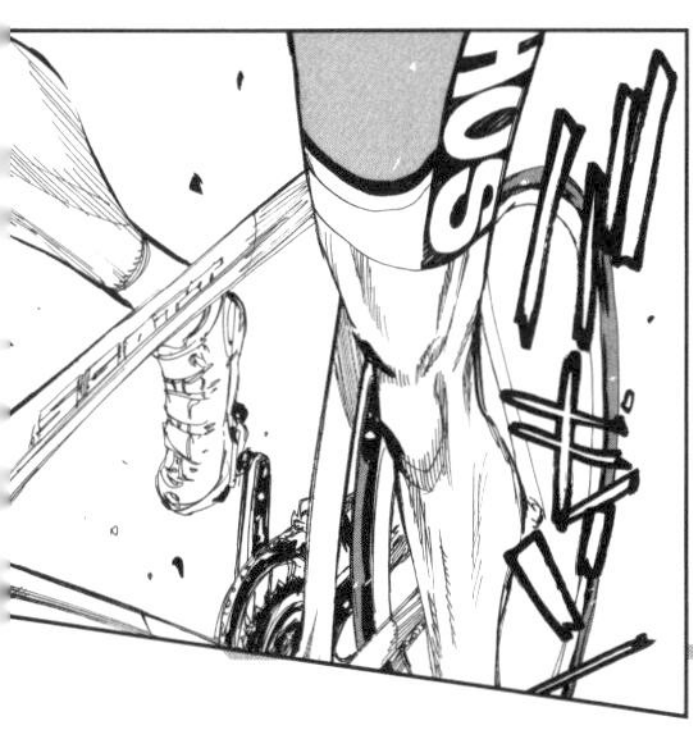

バキン（あざみラインの現実(げんじつ)）

「今、なにかバキンて音がしたぞ！」

「二台、せっしょくか？」

「いや、われるみたいな音だったぞ」


観客(かんきゃく)は心配そうだ。


175番が前、91番がうしろ、どちらかの自転車から、音がした。

バキンはギアを変える音でもなく、ガードレールにぶつかる音でもない。

へんな音。変調(へんちょう)。


御堂筋はもちろん気がついていた。

今の音は、ボトムブラケット※のじく？
いやフレームか！
あいつの高負荷にたえられず、バイクが悲鳴をあげた！

パキッ、パキッ

とかすかな音が、今泉の自転車から二つ聞こえた。御堂筋の耳にとどいてきた。

あっ、やっぱりや。
ロードレースは長い時間の競技や。
タイヤ、フレーム、ハンドル、サドル、コンポーネント、バイクには部品の点数も多い。
加圧によって欠損することは……しばしば起こることや‼

※ボトムブラケット…自転車のペダルの根元あたりにある部品。

かくていィイ‼

今泉は、今泉のパワーで、自分の自転車をこわしよった‼!

御堂筋は、ここぞとばかり、今泉のまうしろから
ラインを切りかえて、さっと外へ出た。ふむ。
「出た！　京伏が下りの最後でならんだァー‼」
「総北は加速がにぶってるぞ‼」

よーし、かくていしたァァ‼

今泉はうつむいていて顔色はわからない。

立ち上がりの登りで前へ出る‼

この下りがおわれば、あとは、ゴールまでは登りのみ。
ここで前に出ることで、勝利はかくてい!!
あらゆるしゅだんを利用してボクは勝利する!!

御堂筋の顔は、欲と、よろこびと、幸運と、かくしんとで目じりと口角がつり上がり、気味の悪い魚類のような顔になっていた。その顔のまま真横にならんだ今泉をチラリと見た。

今泉が大きく口を開けて、はげしく呼吸をしているのが見えた。

やがて、御堂筋が真横にならんだことに気づいた今泉が、

「よかったよ……」

と言ったのが聞こえた。

「パンクとか、チェーンが切れるとかじゃ……なくて……よかった。フレームならばすぐにはイかねぇ。ゴールまでなら走れる!!

おおおお、オレは、オレは勝つ、勝つんだよ!!」

と今泉は目を見開いてさけんでいた。

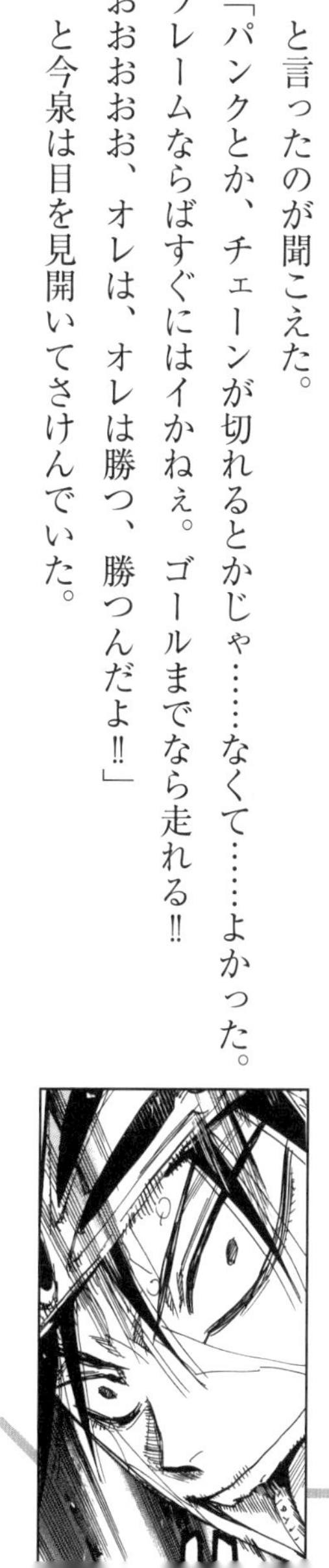

「とおぼえや、負け犬のォ‼」

と御堂筋は言い返した。


二人はつっ走った。そのままどちらも相手の自転車を前に出さず、真横にぴたりとならんだまま、ありったけペダルをふんだ。

「うおおおおお、どけよ、どけぇ御堂筋‼」

「キモォオ、キモッ、キモッ、キモッ、キモッ」

どちらも自転車をふりみだして、前を急いだ。

下ハンドルをにぎりしめ、全身の力を使ってこぐ。

「モルァ‼　のびろォオオ」

「うおおおおおお」

沿道はわいている。

「どっちだ！」

「どっちが前に出るんだ！」
「まだならんでるよ！」
黄色ジャージとむらさきのジャージが、
光の線のように富士山の坂をすっ飛んでいく。

結晶。結晶や。もっと結晶化して、
すべてをすてて一つに。
勝利、たった一つのために
御堂筋は、少しでも軽くなるためにインターハイ二日目のあと、
髪を切ってまるぼうずになった。
「まだボク、あまちゃんやった。まだすてられるもん、あったわ……」と言って。

全部の力を集めて集めて集めまくって結晶化するねん。
「結～～、晶～～ォォ‼」

出る！
前へ！
前へ！
もっと前へ‼
ボクは、
世界のすべてをぶっつぶして、はばたく男、御堂筋翔くんや

レースがおわったあとはいつも、ぬけがらやった。
出しきって　出しきって
前へ　前へと進むから。

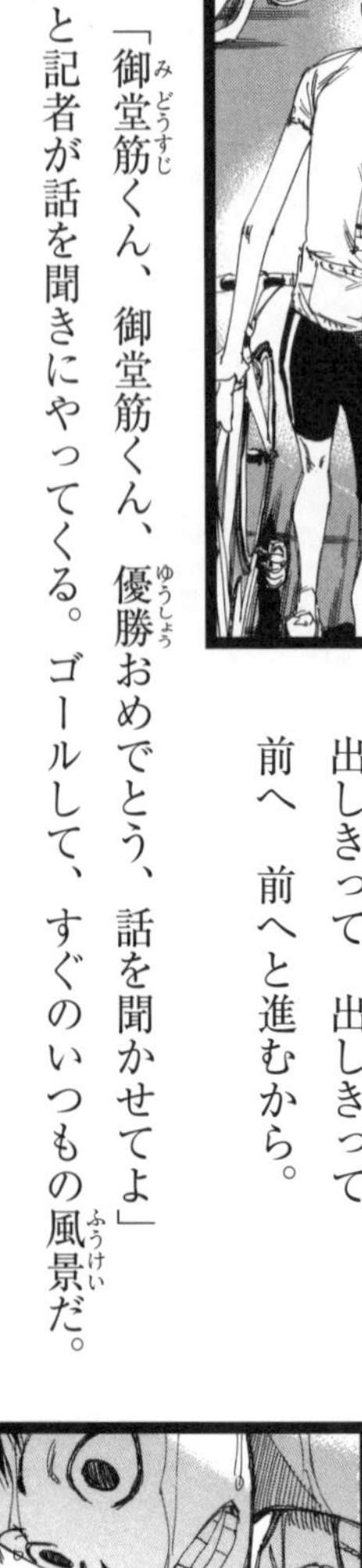

「御堂筋くん、御堂筋くん、優勝おめでとう、話を聞かせてよ」
と記者が話を聞きにやってくる。ゴールして、すぐのいつもの風景だ。

御堂筋は「特に……ないです」とそっけなく答える。いつもこれだ。

けど……ゴール前、ぬけがらになるすん前に走っていると感じる「黄色い」感覚。

「しあわせ」の感覚。

それだけは……と思いながら、自分の手のひらを見つめる。

気持ちよかった。

「なにがあっても、前、進むんやで」

お母さんがボクのほっぺたをさわってくれた日。あの感触を御堂筋は思い出した。

パキッ、パキッ

とさっき音がしたと思ったら、今度は、
ブチッ、ゴキッ
と音がした。ん？　と御堂筋はけげんな顔をした。
音は自分の足のほうから聞こえてきた。

……え？
いっしゅん、ペダルがゆるんだ。そのときを待っていたかのように
「うおおおおおおおおおお」
と顔をゆがめて今泉が力をしぼり出した。

「おお、総北が前だ！　ゆずらねぇ‼」
「京伏を……おさえた！」
観客が歓声をあげた。
「下りは総北だ。あとは登り、このまま行くぞ！」

御堂筋の耳にもその声が入ってきた。

ハァ　ハァ　ハァ　ハァ　ハァ　ハァ　ハァ

そして、そうぞう以上にあらい、自分の息の音も大きく聞こえてきた。

なんや。

なんや、この景色、ハァ？

けつ……が見える。

あいつのけつ？

ハァ？

御堂筋は思わず天をあおいだ。

そこには青い空が広がっている。だが、

「あかん……黄色や
しあわせの色や
レースの色……出し切ったときの色」
そうつぶやくと、カクンと首をおった。そのひょうしに、ヘルメットがハンドルにゴンと当たった。

「どうした！　がんばれ京伏」
「91番」
沿道の声が、とおくでわんわんとはんきょうして聞こえる。わたにつつまれたみたいなふんわりした気持ちになってきた。
「ああ、体がおわる――――」

勝利（しょうり）？
アカン
そや　勝利や
勝ち続（つづ）けるんやボクは

「左足がオワったんやったら、
右足だけで回せばいい」

と言うと御堂筋（みどうすじ）は、左足のビンディング※をはずした。
ペダルからはなされた足は、力なく、だらりとたれ下がった。だれのものでもなくなったかのように。

そして使いものにならなくなった左足をたらしたまま、
右足だけでペダルをこぎ始めた。

※ビンディング…くつとペダルを固定するそうち

ハァ　ハァ　ハァ　ハァ　ハァ　ハァ　ハァ
回せばええ、回せばええだけや
ハァ　ハァ　ハァ　ハァ　ハァ　ハァ　ハァ
ブタ泉をぬけばええだけや、目の前のじゃまものを‼

「は？」

青い空、白い雲、緑の木々、おうえんする沿道の人々、
黒いアスファルト、白く引かれた車線。
セミの声。カナカナカナカナ。
御堂筋の自転車が、坂を登ろうとしていた。しかし

あれ
おらん。どこや
もうぬき去ったか
あのブタ泉を

沿道のファンがこっちを見ている。みんなが手を
ふって、前へ、前へとうながしているのが見えた。

どこ……?

あついなあ。

御堂筋は、急に石垣のことを思い出した。京都伏見のキャプテン。とうのむかしに、ぶったおれてリタイアしたあいつ。

「オレ、おまえにかえられたんや。強さ。なにがあっても前進する、そのじゅんすいさに」

石垣の声が聞こえてきた。

なにあんなザクのことを思い出しとるの、ボク。

また声が聞こえてきた。

「もうオレは足がない。最後に一つだけ言わせてくれ、御堂筋。おまえはじゅんすいすぎる。じゅんすいすぎる思いはときに、たにんを、自分を、けずる」

「ボクにアドバイス？　キミが？」

「だから、どうしようもなくなったときのために、この言葉を送る。もしものときに思い出してくれ」

「イヤヤ」

「御堂筋、おまえには未来がある」

「キモッ」

「けっかはかならず、いつかむくわれる」

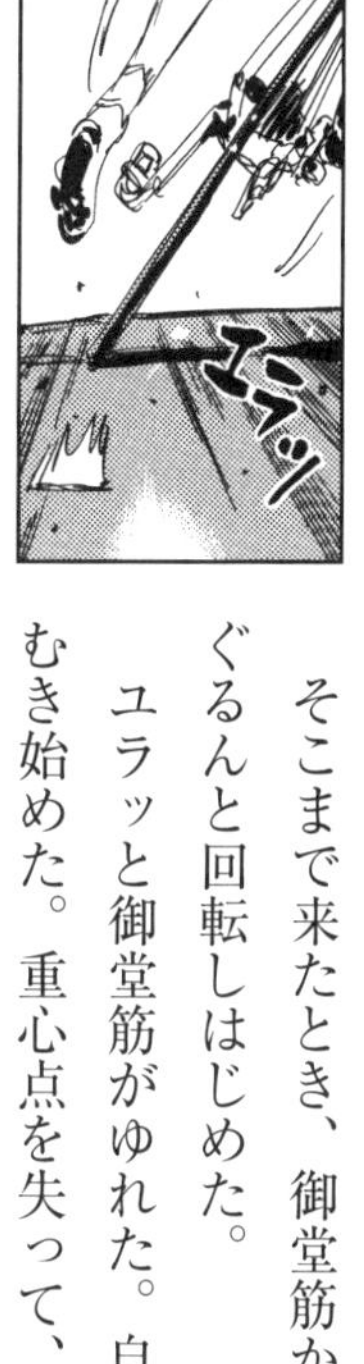

そこまで来たとき、御堂筋から見える景色が
ぐるんと回転しはじめた。
ユラッと御堂筋がゆれた。自転車は右にかた
むき始めた。重心点を失って、ゆっくり。
「キャーーーーーー！」と女性客が悲鳴を上げた。
自転車と御堂筋は右がわにたおれて、ゴ
ンとアスファルトにぶつかった。そのまま
自転車ははね上がった。御堂筋の体は、う
つぶせのまま草地をザザとすべってと
まった。主人をなくした自転車が、横にた
おれて動きをとめた。あたりはいっしゅん、
シーンとしずまりかえった。

御堂筋は自分になにが起きたか、ぜんぜんわからぬまま、
キモッ……
石垣くん……ホンマにキモすぎやわ……
とモゴモゴとしゃべっていた。
御堂筋翔、ゼッケン91番、レース三日目、富士山ろくの登りでリタイア。

落車

「落車だーーーーっ」と観客がさけんでいる。
それを今泉は聞いた。

出し切った……のか、御堂筋。すべてを。
勝敗はわからなかった。強かった。
おそらくわずかな差だった
わずかな差で、オレがああなっていたかもしれない。
今泉は、一度、しずかに目を閉じて、ゆっくりと顔のあせをぬぐった。
「勝てた」

そのしゅんかんにさまざまなできごとがよみがえってきた。

このインターハイで、二度もレースを投げた。

一度目は、初日をおえて、心がボロボロになったとき、
もう一度は、とちゅうでヘルメットを投げたとき。

なのに、そんなオレをひつようとしてくれる人がいた。

金城(きんじょう)さん……「成長しろ、この三日間でだ！」と言ってくれた。
田所さん、巻島(まきしま)さん、
目の前ですげぇことをやってのける、とんでもねェヤツもいた。
アーム・ストロング・クライムをくり出した鳴子(なるこ)。

「ごめん」と言いながら、追いついてきた小野田。

オレが今、ここに手と足があって、動かせているのは、
オレの力だけじゃない。たくして、あずけられて、守られて——。
そういうのを、みんながつみあげてきてくれたおかげなんだ!!

「総北(そうほく)が先頭だ！」
「すげぇ！」
「あと三キロを切ったぞ、ガンバレ！」
沿道(えんどう)の声が耳に入る。

いくぞ

ゴールまで全力で
残り二千七百メートル
ゆるめるな！
おれるな！
オレは総北高校のエース、
今泉俊輔だ‼

ギシッ

フレームからは異音がしている。今泉の自転車にはクラック（きず）が入っている。

うむ、フレームから力がにげているが、なんとか最後まで……もつ‼
とどけ‼　まっ先に‼
総北のジャージ‼

そこへ坂の下から、いちじんの風がふきあがってきた。
ザワっ、と木々（きぎ）がゆれる音がした。
夏のさかりだが、心地よい高原の涼風（すずかぜ）に、今泉は背中（せなか）をなでられた。

「え？」

あらわれた。つぎなる刺客（しかく）。

「ハコガク!!!」

白いつばさを広げて、風にのって空を飛んできたかのようなかろやかさで、そのすがたをあらわした。

「真波山岳!!!」

「やあ、やっと追いついた、今泉くん」

真波は明るい口調であいさつをした。

「オレたちは……強い!!」

続いて、福富の自転車があらわれた。

今泉にイヤな予感が走った。

勝利宣言！

京都伏見の御堂筋にとどめをさしたと思ったら、ブルーのジャージ、箱根学園の二台がまうしろまで追ってきた。

今泉、ピンチ。

先頭を行くゼッケン175番を目にした真波は、

「もう行きます、福富さん」

とつげた。福富は、真波の背中を強くおすと、

「出ろ!!　真波!!」

と指令をくだした。二台で登ってきた箱根学園、最後の切りはなしだ。

真波は大きなつばさを広げて風にのるようにして、スゥイーッと坂を登ってきた。まるで水鳥がスーッと飛んでいるかのようだ。
そして、またたくまに今泉にならんできた。今泉は真波の顔をにらんだ。

真波（まなみ）はわらい返すと、そのままスゥイーッと今泉（いまいずみ）をはなした。

ギシッ　ギシッ

今泉の自転車からは異音（いおん）が聞こえている。

「うオオオ、真波イイ!!」

とさけぶが、差（さ）は開いていくばかりだ。そればかりか、うしろから来た福富（ふくとみ）にも追いつかれそうになってきた。

福富は真波がトップに立つのを満足げに見つめていた。

――ついたな!!　勝負……!!!

自転車五台分くらい、真波が今泉の前にいる。自転車がこわれてしまった今泉はついていけない。今泉は大きく口を開けて苦しそうだ。口からよだれが、顔からあせが飛ぶのが福富には見えた。

機材トラブルか……。
反応できてなかったな……。
しかし、それもふくめて、ロードレースだ……。
運がなかったな、今泉。

いや……運がなかったな、金城、と言うべきか。
何度となくいどみ、つめより、満身そういになりながらオレたち箱根学園をおびやかしてきた、総北。

金城自らも負傷し、それでもなかまにたくし、
細い糸をたぐりよせてきた。
だがそれもここまでだ。

王者はオレたち、箱根学園だ‼

ん？
ザワァッ
なんだ
このわき上がるような
プレッシャーは……？

なぜ、わらってるんだ

箱根学園の勝利宣言(しょうりせんげん)――か、というとき、急に福富(ふくとみ)は寒気を感じた。

なにかがくる。

うしろから、なにかが……。

前へ、前へ進もうとするプレッシャーなんだと？　手にあせを？　オレが!?

――なぜ、わらってるんだ、総北(そうほく)!!!

福富は目をこらした。よく見ると、前を走る今泉(いまいずみ)は、うつむいたままクックックとわらっていた。総北は今度こそ、なすすべがなくなったはずなのに。

ゾクッ。

福富がもう一度、寒気を感じたときに、今泉が口を開いた。

「おまえなら、きっと、ついてきてると思ったぜ」

「なにっ？」

福富はふり向いた。

それと同時に、今泉が大声でさけんだ。

「あがれ、坂道‼」

「ああああああああああああああああああああ」

おたけびをあげて、坂道が登場した。

ぐるぐるぐるぐるぐるぐるぐる

ぐるぐるぐるぐるぐるぐるぐるぐる

ペダル回転最高出力で、はりついてきた

坂道が追いついたのだ。

「176番！　こいつが、こんなところに！

まだのこしていたのか、こんな『手』を

それがぜったいに『あきらめない』チーム、総北か。

金城ぉぉぉぉぉおおお!!!」

坂道は、福富にならびかけ、またたくまにこの大エースをぬいた。

そして、今泉にならびかけた。

そのころ、

「トップは残り二千五百だって」

とちゅう経過が医務室にとどけられた。

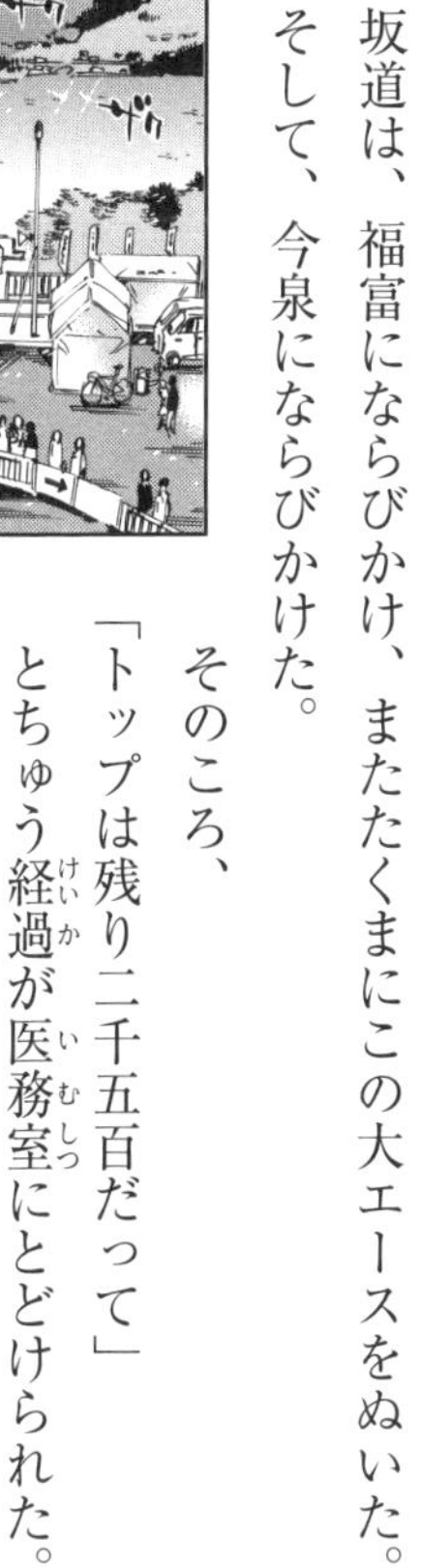

「いけ……総北‼」

左足をテーピングテープでぐるぐるまきにされた金城がかたくこぶしをにぎっていた。

今泉は、真横にきた坂道の背中をバンとたたいた。

「わかってるな」

「わかってる‼」

坂道が答えた。

「とれ‼」

「うん‼」

「今、前を走っている真波を追えるのは、おまえしかいない‼」

「うん‼」

「手のふるえは自分でとめろ。しかけるポイントは自分ではんだんしろ。おまえは一人しかいない。だが心配するな。

その背中のジャージにはオレたち全員分の意思がこめられてる‼」
「うん‼」

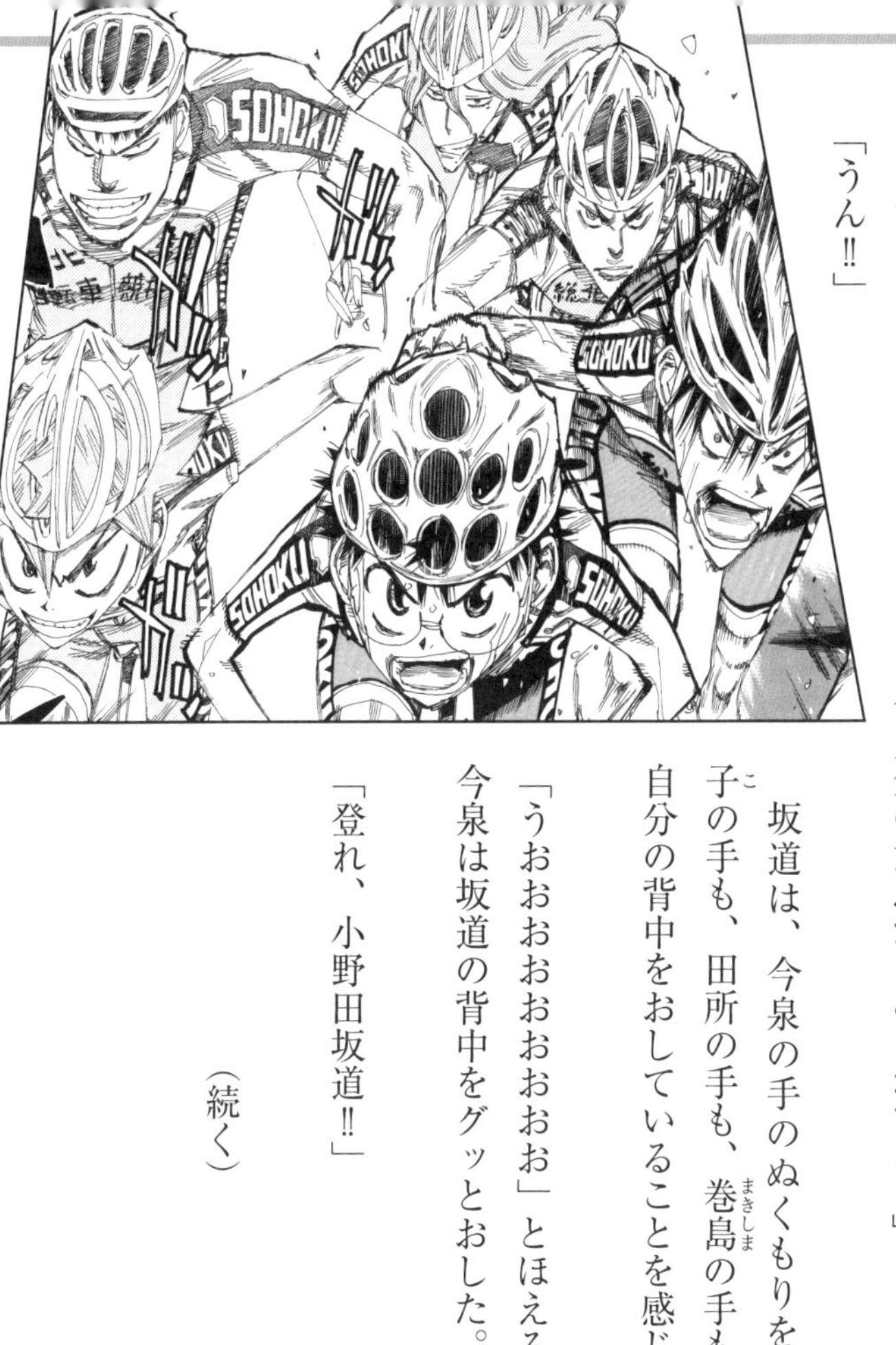

坂道は、今泉の手のぬくもりを感じながら、鳴（なる）
子（こ）の手も、田所の手も、巻島（まきしま）の手も、金城の手も、
自分の背中をおしていることを感じていた。
「うおおおおおおお」とほえると、
今泉は坂道の背中をグッとおした。
「登れ、小野田坂道‼」

（続く）

COLUMN

これでキミも自転車通(つう)!

014

自転車コミュニケーション!?
安全にたのしく自転車に乗るために、
知っておくと役立つことがあるよ!

一人走るのも、グループで走るのもたのしい自転車。でも、複数(ふくすう)で走るときは、あぶないモノやコースのへんこうがあれば声をかけあおう。今回は自転車に乗ったまま、走りながらコミュニケーションをとる方法(ほうほう)をしょうかいするよ!

こんなことはないかな?

手で出すサイン、手信号を知っていれば、うしろを走る人に意思表示ができるよ。

声も出そう!

手信号では間に合わないときは声を出そう。「うしろから車がくるよ!」「ストップ!!」をさけんできけんを回避(かいひ)しよう。

プロ選手のわざ！

「ブレーキ」「右折」「左折」など、自転車に乗る人が使う手信号。グループで走るときは先頭が全体に指示を出すよ。合図をしないと、先の動きが予測できず、事故につながるよ！

サイクリングでためしてみよう！

手信号が間に合わないときやハンドルの手ばなしができない人は声を出そう！

[原作者]
渡辺 航（わたなべ　わたる）
漫画家。長崎県出身。MTBやロードバイクなど自転車をこよなく愛し、『弱虫ペダル』の連載を続けながら、多くのアマチュア自転車レースに参戦している。

[ノベライズ]
輔老 心（すけたけ　しん）
ライター。兵庫県出身。『スーパーパティシエ物語』『いやし犬まるこ』（いずれも岩崎書店）、絵本『はなげ小学生』（絵・塚本やすし／小学館）など著書多数。

AD　山田 武　　協力　渡邊まゆみ
編集協力　秋田書店

フォア文庫

小説 弱虫ペダル14

2024年2月29日　第1刷発行

原作者　渡辺 航
ノベライズ　輔老 心
発行者　小松崎敬子
発行所　株式会社 岩崎書店
〒112-0005 東京都文京区水道1-9-2
電話　03-3812-9131（営業）　03-3813-5526（編集）
00170-5-96822（振替）
印刷・製本所　三美印刷株式会社

ISBN978-4-265-06584-4　NDC913　173×113

岩崎書店ホームページ　https://www.iwasakishoten.co.jp
ご意見をお寄せください　info@iwasakishoten.co.jp